Fábio
Zuker

Vida e morte de uma baleia-minke no interior do Pará e outras histórias da Amazônia

ilustrações
Gustavo Caboco

2ª edição
ampliada

Publication Studio
São Paulo

Índice

A escrita como projeção de mundos*

Durante uma de suas mais recentes estadias junto aos indígenas Wari', em 2014, Aparecida Vilaça conta que ficou impressionada com aquilo que então considerava ser uma novidade: viu diversas fotografias de seus amigos e parentes Wari' que preenchiam na parede lateral de um quarto. Era o quarto de Paletó, seu pai indígena, de quem Aparecida foi se aproximando e criando essa relação de parentesco a partir de 1986, quando começou a fazer trabalho de campo como antropóloga, junto aos Wari', em Rondônia. As fotografias exibiam diversos indígenas com roupas de gala ocidentais, inclusive Davi, que tinha as pernas atrofiadas, e que estava fotografado de pé, ao lado de sua irmã Ja. Intrigada, Aparecida perguntou a Ja se haviam comprado aquelas roupas, ao que ela lhe respondeu que se tratava de uma fotomontagem,

*A partir de trecho extraído da resenha de *Paletó e Eu: memórias de meu pai indígena*, de Aparecida Vilaça.

realizada por um especialista de Guajará-Mirim, cidade vizinha às aldeias Wari'.

Refletindo acerca do ocorrido, Aparecida faz uma análise da maneira como a fotografia foi apropriada pelos Wari', "não em seu aspecto de fixidez, de espelho do mundo, mas de transformação, de projeção de corpos em outro mundo". Seu livro pode ser lido a partir desse princípio Wari' da projeção de corpos em outro mundo. É uma tentativa de recriar o indígena Paletó em outro mundo: o mundo dos vivos, o mundo dos brancos, o mundo dos livros, explorando uma relação de afeto e carinho. Paletó aparece na obra composta a partir de trechos de cadernos de campo, sonhos, cenas que existem apenas na memória da autora, assim como transcrições de fitas cassete, conversas e memórias de Paletó, entre outras fontes diversas.

Produzido ao longo de trinta anos, esse material multifacetado é a base para essa espécie de despedida que a autora faz de Paletó. O livro começou a ser elaborado no dia seguinte ao de sua morte, narrada com emoção pela autora, compartilhando sua aflição por estar distante de seu pai indígena, e não poder acompanhar de perto o seu enterro, em meio a tentativas de estabelecer contato virtual ou telefônico com suas irmãs e irmãos Wari'.

A projeção de corpos em outro mundo é um traço do pensamento Wari' em sua concepção do que pode a fotografia. Uma reflexão que nos conduz para além deste contexto específico. Trazer imagens de corpos e pessoas para um outro mundo, projetar mundos sobre mundos, friccionar realidades, é o que tento fazer nestas reportagens e escritos a seguir.

Mais do que simplesmente transpor pessoas para textos, recriá-las em um mundo diverso, o que acredito ser mais interessante é pensar como essas formas de vida tensionam as possibilidades do registro elaboradas para tentar dar conta do mundo ao qual estas pessoas nos convidam. O que me impressiona é a maneira como o texto parece sempre insuficiente perante uma realidade que extrapola a capacidade narrativa de apreendê-la.

Uma figura me vem à mente: de algo que não pode ser abarcado. Algo dotado de uma certa dinâmica, um fluxo que corrói, por dentro, toda e qualquer estrutura e forma voltada a sua contenção. Dinâmica esta, entre fluidez e contenção, da qual os textos a seguir seguramente não escapam. Ou, para tentar colocar com maior precisão, é exatamente deste atrito que eles emergem.

Uma floresta que queima

Escrevo estas linhas ainda em 2019. O ano não acabou e já é possível considerá-lo catastrófico para a Amazônia brasileira. Passei grande parte dele na aldeia Tupinambá de Cabeceira do Amorim, localizada no interior da Reserva Extrativista Tapajós-Arapiuns (oeste do Pará). Quase todas as noites Ezeriel e eu assistimos ao *Jornal Nacional* na televisão da sala de sua casa de paredes sem reboco, comumente atravessada de redes. Redes por todos os lados. Das mais diversas cores, tamanhos e formatos. Não se vê sequer uma cama na habitação que Ezeriel compartilha com sua esposa, a cacica Estevina, importante liderança indígena. Seus filhos e suas filhas já constituíram família e deixaram a casa. Alguns moram na cidade de Santarém. Outros em Manaus ou Macapá. Outros ainda vivem na aldeia e são exímios caçadores. Voltam todas as noites à casa onde cresceram acompanhados de suas esposas e seus filhos, trazendo peixes e caças para serem compartilhados no jantar.

Com aqueles que se juntam a mim e a Ezeriel, acompanhávamos boquiabertos as notícias sobre a disparada do desmatamento na Amazônia. Ezeriel observava a tela de sobrancelhas arqueadas. O diretor do Instituto Nacional de Pesquisas Espaciais (INPE), órgão responsável pelo monitoramento de queimadas e destruição da floresta, estava em rede nacional chamando o presidente Jair Bolsonaro de "pusilânime e covarde", após ele questionar a produção de dados do instituto. Seu governo vem, desde o início, desmontando os órgãos de proteção ambiental. Ezeriel comentou baixinho, como se escondesse algo, que as madeireiras queriam retomar suas atividades dentro da Unidade de Conservação – a mesma que ele e demais indígenas Tupinambá e Kumaruara pleiteiam como território indígena ancestral.

Trata-se das mesmas madeireiras que por décadas dilapidaram o território Tupinambá e de outros povos indígenas e ribeirinhos da região. Hoje elas contam com o apoio de alguns moradores da reserva e retomaram a derrubada de árvores na comunidade de Nova Canãa. Os Tupinambá, em suas vinte aldeias, estão preocupados. Querem logo demarcar o seu território, para geri-lo de maneira autônoma e expulsar os madeireiros. Mas os ventos não sopram a favor dos que se empenham na defesa de rios e florestas.

Dos dados coletados por satélites à experiência cotidiana da destruição: é precisamente nesta tensão entre escalas que tento escrever sobre o desastre, sobre o destino da floresta e de suas formas de vida. Os números não bastam. Eles são insuficientes para dar conta do que ocorre hoje na Amazônia.

A transformação da floresta em soja

Poucos dias depois de assistirmos da aldeia a cruzada de Bolsonaro contra as mensurações de desmatamento, atravessei o rio de volta a Santarém. Cerca de dez horas de barco. O Tapajós é um rio largo, e a região em que se encontra com os rios Amazonas e Arapiuns, no chamado Lago Grande, possui dimensões oceânicas. Daí a sensação de ser um pontinho no meio do mar, mesmo estando no coração da maior floresta do planeta.

Também aqui redes se emaranham no convés do barco. Quando tem tempestade, ou mesmo quando o vento se intensifica, o que não é raro, é preciso encontrar algum tipo de pilar para se agarrar. Do contrário, o vai e vem das ondas torna impossível permanecer nas redes. Usualmente, aproveito o tempo sem comunicação nenhuma para papear com as pessoas, dormir e ler. Neste dia, porém, um estranho cheiro de queimado me colocou em alerta. Acreditei que via, também, um pouco de fumaça vindo da outra margem, por trás da Floresta Nacional do Tapajós, a Flona. Mas não tinha ideia das proporções do incêndio ao redor da BR-163, que liga Cuiabá a Santarém. Comentávamos no barco sobre o cheiro de mato queimado, um pouco instigados. Mas do nosso ponto de vista, de quem atravessa um rio vindo de longínquas aldeias indígenas para à cidade, a fumaça e o cheiro de queimado pareciam acontecimentos locais de dimensões controladas. Poucos dias depois, a notícia do aumento dos focos de queimadas na Amazônia rodou o mundo como consequência direta do incentivo das ações criminosas de Bolsonaro. Os pontos luminosos no radar se concentravam, como brasas após uma fogueira, na região do "arco do desmatamento", que vai de Rondônia à Santarém, passando pelo sul do Amazonas.

A expansão da soja na Amazônia pode ser entendida como um processo de transformação na relação entre pessoas e plantas. Trata-se da transformação da floresta tropical multiespécies em monocromáticos campos de soja. Longe de ser uma transformação natural, é uma mudança sociopolítica. Um processo longo, e que envolve atores econômicos (como grandes fazendeiros), políticos locais, ilegalismos (como compra de terras de comunidades tradicionais e Unidades de Conservação) e, é claro, fogo. Com o início da época de seca, com a diminuição das chuvas amazônicas, a utilização do fogo se torna o mais básico mecanismo para destruir a floresta.

Diferente de outras vegetações, como o cerrado, que se autoincendeia como forma de recomposição no período de secas, não existe incêndio natural na Amazônia. Ele pode até se expandir acidentalmente, para além da área pretendida. Mas o caminho do fogo é sempre o mesmo: crescer, alastrar-se, converter a multiplicidade de espécies em uma única e mesma substância, as cinzas. Do múltiplo ao um. Do heterogêneo ao mesmo. Ricas em nutrientes, as cinzas já adubam o solo. Os restos das florestas criam o ambiente favorável ao desenvolvimento da monocultura de soja.

Não apenas a Amazônia está queimando. Em 2019, assistimos atônitos às queimadas na Califórnia, a descomunal destruição causada pelo fogo na Austrália, e até mesmo incêndios destruindo a taiga na improvável Sibéria. A ideia defendida por alguns cientistas de uma nova era geológica, intitulada Piroceno – em que tudo queima, dos campos de petróleo para gerar energia às florestas tropicais – já não soa fora de lugar.

Nas aldeias Tupinambá, na margem esquerda do rio Tapajós, a soja é "apenas" uma ameaça. Já nas aldeias Munduruku e nas comunidades ribeirinhas à margem direita do rio, a soja é uma realidade – a floresta remanescente, quando existe, está estrangulada pelos campos de soja. Existe um sombrio jogo de espelhos entre as duas margens do Tapajós, marcado por uma temporalidade encadeada, em que aquilo que acontece na margem direita, de mais fácil acesso pela estrada, muito em breve poderá acontecer do lado esquerdo.

Ezeriel, Pedrinho e João, todos indígenas Tupinambá, hoje estão engajados na demarcação do seu território. Como o governo parece pouco sensível à demanda, decidiram agir por conta própria. Em 2017, saímos juntos para a mata. A autodemarcação consiste em abrir a vegetação rasteira, com facões, criando trilhas para facilitar a fiscalização do território.

Me coube, como função, operar o aparelho de GPS e escrever uma reportagem, chamando atenção para a empreitada. Talvez eu até tenha tido alguma função como repórter. Operando o GPS, porém, eu era de pouca serventia. Os Tupinambá se guiavam pelo movimento das nuvens. Apesar de pedir repetidas vezes para que me explicassem como o faziam, fui incapaz de entender. Tudo o que posso dizer é que as nuvens possuem um padrão de movimentação a depender do tamanho do rio. Esse fluxo era suficiente para que os indígenas estabelecessem a rota da caminhada, contornando aldeias de povos vizinhos. "Por ali!", indicavam. Eu olhava para o matagal fechado e não conseguia imaginar como adentraríamos naquela profusão de tiriricas cortantes, capins e demais "ervas daninhas" que, enredadas nas árvores de maior porte, pareciam constituir uma barreira.

Mas nem sempre foi assim. "Se for pensar bem, eu mesmo já fui um desmatador", desabafou Pedrinho comigo. João, por sua vez, ainda possui um certo orgulho de ter caçado muito neste mato para alimentar os trabalhadores da empresa Santa Izabel. Ele relembra a época como um tempo áureo de sua juventude, em que tirava um salário derrubando madeira, e outro como caçador. "Era eu que sustentava esses funcionários", comenta comigo, enquanto prepara farinha para vender na cidade.

A verdade é que toda a aldeia Tupinambá de Castanhal Cabeceira do Amorim, e parte das aldeias vizinhas, parece ter em algum momento trabalhado para a madeireira Santa Izabel. Os indígenas possuem uma memória clara da atuação da empresa, que se retirou do território com a criação da Reserva Extrativista, em 1998. Cortavam árvores de grande porte, como ipês, mandioqueiras, angelins e melancieiras. Para João, por mais que a madeireira tenha atuado, ela não chegou a retirar nem um terço de toda a madeira existente na floresta.

Difícil pensar em algo mais perverso. Um ator econômico privado que se vale de um mecanismo de sedução para transformar aqueles que dependem de um determinado território em seus próprios depredadores.

Pouco a pouco, os Tupinambá foram percebendo que a floresta ia embora e, com ela, as caças. Por mais que eles obtivessem algum tipo de dinheiro trabalhando para a madeireira, a devastação causada por esta atividade logo tornaria impossível a vida dos indígenas na região. Dependeriam mais e mais da cidade, tanto para comida quanto para remédios. Com a derrubada da selva, entreviram a emergência de um problema: na cidade, viver é custoso. O contraste entre a vida na aldeia e na cidade me foi formulado com clareza pela cacica Estevina: "aqui o mato dá tudo, comida, nossa caça, nossa roça. Na cidade, tudo tem um custo. Se falta vinte centavos para um remédio, ninguém mais vende".

No curso do rio Tapajós, pessoas, rios e florestas estabelecem uma relação de co-formação, de constituição mútua. Não são indígenas que vivem em um determinado território. Mas pessoas cujos corpos se formam, na medida em que compõem territorialidades, nas atividades de caça, de visitas a parentes, de plantio e pela cura através da herbolária. Esse processo se evidencia nos conhecimentos ancestrais e nas próprias formações geológicas, como as imemoriais terras antropogênicas (chamadas de terra preta de índio).

Sem renda, e com a dilapidação de suas florestas, os indígenas Tupinambá seguramente seriam integrados à moderna sociedade brasileira. Mas esta integração se daria em seu estrato mais baixo. Megaron Txucarramãe é um dos mais conhecidos líderes indígenas do país. Kayapó da bacia do Xingu, ele ganhou proeminência pela oposição ferrenha à barragem do rio pela usina hidrelétrica de Belo Monte. Eu o entrevistei durante o Acampamento Terra Livre de 2018, no momento em que Bolsonaro ganhava projeção na corrida presidencial: "se ele integrar o índio na sociedade do branco, o índio vai viver pior do que as pessoas que moram na favela, do que sem-teto, do que sem-terra. Muitos índios não têm preparo ou estudo para sustentar a sua família [na cidade]. Na aldeia, na terra dele, o índio sabe fazer as coisas que tradicionalmente aprende e vem fazendo até hoje. Na sua terra, no seu lugar". O cacique Kayapó faz um alerta: "integrar o índio na sociedade?! Vai morrer índio, índio vai acabar".

Nas comunidades localizadas à margem direita do Tapajós, como Piquiatuba dentro da Flona, a realidade é diferente da Tupinambá. A soja sitia a floresta.

Remerson Castro Almeida, líder comunitário responsável pela pousada comunitária e pela limpeza da escola, teme, justamente, que o que sobrou da floresta venha a virar soja. "Aqui está muito mais quente do que antes, e agora vemos aqui na comunidade uns bichos que nunca antes tínhamos visto". Ele suspeita que o uso de agrotóxico esteja expulsando os animais de dentro da floresta para a comunidade à beira do rio. Em um mundo cada vez mais quente, os campos de soja são verdadeiras máquinas de produzir calor. O calor atravessa cerca de 50 quilômetros de floresta que separam Remerson do sojeiral, e dificulta a rotina de trabalho na roça, diminuindo a produção. Se antes ficavam até meio dia trabalhando na terra, hoje às 10h30 ninguém mais aguenta a quentura do dia.

A Flona foi criada por decreto durante a Ditadura Militar, em 1974. Com 527.319 hectares, ela abrange os municípios de Belterra, Aveiro, Placas e Rurópolis – todos no Pará. O projeto do governo era um só: desabitar a floresta. Fazer uma floresta sem pessoas. Dar concretude ao imaginário ocidental sexista de uma floresta virgem. Os militares queriam transportá-los para a serra do Cachimbo. Transportar pessoas como cargas. Assim como os militares fizeram com diversas populações indígenas.

Seu Milton lembra com detalhes da luta pela permanência no local, embora lamente que, com a criação da Unidade de Conservação, não possa vender sua terra para grandes fazendeiros. Por outro lado, chama a atenção para a fartura do que outrora foi a vida junto à floresta: "tinha muita caça naquele tempo, veado, caça pequena. Naquele tempo pescava muito, com carniça e flecha. Hoje nem sei se ainda tem queixada, foram tudo embora fugindo da queda das árvores". Já Seu Tarcilo, que também participou das mobilizações pela permanência dos moradores na selva, hoje tem uma opinião mais alinhada ao governo Bolsonaro. Para ele, Ibama e ICMBio "prejudicaram muito, muito muito, a formação do povo do Tapajós. Parou tudo!". Ele fala na indústria da multa ambiental, cerne do discurso antiambientalista de Bolsonaro, e acredita que se não tivesse a Flona, as pessoas estariam muito melhor, com a floresta transformada em descampados destinados à agropecuária. Um ponto da sua fala me detém: "com a chegada da luz, já não tem mais aquelas visagens de antigamente". Os fantasmas se foram.

Insisto em refletir sobre a destruição das formas de vida na região do Baixo Tapajós a partir da relação entre pessoas e plantas. As plantas não estão simplesmente aí, para serem utilizadas, conforme o interesse humano. Plantas fazem mundos. Elas são criadoras de realidades. Com elas, os indígenas do Baixo Tapajós parecem manter uma relação mais próxima ao âmbito do parentesco. Não utilitária. As práticas dos indígenas, a composição mútua entre pessoas e território, colocam em xeque a ideia do especialismo humano, do ser humano como único, diferente e separado do mundo ao seu redor, que caberia dominar. Neste caso, é nas plantas que se dá a mediação entre territórios e pessoas; são as plantas que fazem com quem territórios e pessoas só existam em conjunto – amalgamando os dois termos, impondo à nossa linguagem o desafio de descrever uma relação entre partes não opostas.

Existe uma geopolítica da soja, marcada pelo seu ímpeto colonizador. Mas existe também uma guerra cosmopolítica da soja, capaz de criar e destruir pessoas, criar e destruir mundos. Campos de grãos não existem como forma pura na natureza. Acidental ou planejado em sua origem, a milenar associação grão-fazendeiro hoje faz parte de um projeto político. Exacerba a concentração de poder. Mais terras para ambos: multiplica-se a riqueza dos fazendeiros e se garante vertiginosamente a reprodução da espécie selecionada. No Tapajós, este anseio pela multiplicação transforma a paisagem; demanda uma infraestrutura de portos e a derrocagem dos fundos dos rios. Para tornar o rio apto a transportar a soja, deve-se destruir as pedras existentes no leito em que peixes se reproduzem. A soja anseia por territórios e demanda a destruição de outras espécies. Domesticada, domestica também outros seres. Sem as pedras para a reprodução dos peixes, florescem as pisciculturas. A soja está em embate constante com o humano. Grandes fazendeiros, tentam, a todo custo – e os custos são elevadíssimos –, controlá-la com venenos, guiá-las conforme os seus objetivos comerciais, de modo a torná-las imunes a possíveis agentes que se interponham em seu caminho. Da perspectiva do agrotóxico, pragas, indígenas e populações tradicionais são equiparados: não passam de entraves.

A luta indígena é uma luta pela existência, mas por uma existência diferenciada. Pelo não deixar-se diluir em uma cultura englobante branca. O *mono*, de monocultura da soja, deve ser levado a sério como proposta política de erradicação da diferença. As florestas, nesse sentido, emergem como os maiores aliados dos indígenas.

Elegia a um rio amazônico

Às vezes penso neste texto como uma elegia, mas logo me detenho. Como gênero, a elegia é uma despedida, o remorso em nome de alguém que se foi por já estar morto ou distante – tendo abandonado a pessoa que escreve. Entender esse texto como uma elegia ao rio Tapajós, seria como assinar um atestado de óbito – para o qual não tenho poder algum.

Mas não faltam motivos para afirmar que o rio Tapajós esteja morrendo. Ou melhor, que ele está sendo assassinado. Hidrelétricas. Garimpo. Desmatamento. Derrocagem. São apenas algumas. Como paisagem, o Tapajós é tão natural quanto um construto humano.

Dona Teca, uma das mais antigas moradoras de Piquiatuba, olha de sua casa para o rio. Gostamos de apreciar juntos o pôr do sol pela ampla abertura da sua cozinha, com vista para as águas. De noite, dormimos embalados pelo ritmo das ondas. Contrastando com a calmaria do momento, ela lamenta os efeitos da construção das hidrelétricas no rio e em sua vida: receia o aumento de doenças e a fuga dos peixes. "O rio mudou de cor, está mais escuro", comenta. Não me vem à mente qualquer resposta. Eu silencio.

Esse texto faz parte da pesquisa de doutorado em Antropologia Social que o autor realiza no Baixo Tapajós, sobre a destruição dos territórios indígenas e suas formas de resistência. A pesquisa é realizada com o apoio da Fundação de Amparo à Pesquisa do Estado de São Paulo (Fapesp).

Brasileiros e Venezuelanos: uma crônica de ódio e compaixão

"É claro que eu sempre pensei em vir ao Brasil, conhecer o carnaval, as praias, ver um jogo de futebol... como turista. Não assim, como indigente." "Seja quem for a pessoa, não se pode tratá-la assim!" "Somos seres humanos. Somos venezuelanos. Estamos vindo aqui e as pessoas têm que entender que a situação está muito ruim por lá." "Você sabe que existe um bloqueio à Venezuela? Claro que a situação está ruim, que o governo foi inepto e que existe corrupção, mas isso tudo só chegou a esse ponto com o bloqueio econômico." "O objetivo disso tudo é tocar o terror no país, humilhar as pessoas, e fazer ver ao mundo o tamanho do problema na Venezuela." "Eu só tenho a agradecer. Aqui nunca me faltou comida." "Eu só fui bem tratado, uma pessoa me deu até um par de botas que estava usando." "Só não me mataram com pedras e paus porque eu corri muito."

Já passava das 22h quando me aproximei de um grande grupo de venezuelanos que vivem atrás do

Terminal Rodoviário de Manaus. Pedi licença para conversarmos sobre a situação deles enquanto imigrantes, dormindo na rua, sob um calor que, tarde da noite, insistia na casa dos 30°C. Depois de terem deliberado por alguns momentos, concordaram em falar, desde que eu não tirasse fotos – pedido que viria a se repetir a cada entrevista. Das cerca de trinta pessoas que ali se encontravam, quinze engajaram-se de maneira efusiva na conversa, que pouco a pouco se converteu em um grande debate, em tom de assembleia, com direito a mediador, o senhor Reynaldo Pérez, que assumiu a função. As demais quinze pessoas seguiram descansando diretamente no chão, sob pedaços de papelão, ou em redes. Algumas se aproximavam e se afastavam da conversa, enquanto varriam o piso ou dobravam as poucas roupas que tinham. Sentei-me no chão para participar da discussão. Ficou claro que aquele era também um momento de desabafo coletivo, assim como de reflexão sobre a mudança repentina em suas vidas, sem que entendessem ao certo como isso aconteceu.

Um vigilante do terminal rodoviário e um vendedor de balas e salgadinhos me falaram da existência do grupo de venezuelanos atrás da rodoviária. Enquanto comprava uma garrafa de água, preparando-me para as onze horas de viagem entre Manaus e Boa Vista, peguei de rabo de ouvido comentários nada elogiosos sobre os imigrantes recém-chegados. Vigilante e vendedor reclamavam que os venezuelanos tinham trazido doenças como sarampo e meningite ao Brasil e que os indígenas venezuelanos que chegaram ao país, principalmente os Warao, eram "uns vagabundos, que só pedem...". "Nem mais índios são!", afirmava o comerciante, "pois, se fossem índios mesmo, estariam vendendo seus artesanatos". O segurança, com boina e jaqueta militar, por sua vez, declarava: "Aqui só fica passageiro. Se aparece um vagabundo, eu boto pra correr!".

Longe de serem predominantes, falas e atitudes racistas e de ódio mostraram-se muito menos frequentes do que as imagens que rodaram o mundo, de brasileiros expulsando venezuelanos em Pacaraima (RR), podem levar a crer. Há falas de compaixão, de tristeza e de frustração pela incapacidade de ajudar mais pessoas em situação tão delicada, que se misturam a comentários de "nojo", "sujeira" e "periculosidade" em relação aos recém-chegados.

Conheci uma família com poucos recursos que adotou uma família inteira de venezuelanos em sua casa e ouvi muitos relatos semelhantes. Se as falas de ódio e violência são as que mais chamam atenção, é no sentimento de isolamento e abandono dos roraimenses que parece estar a chave para a compreensão desse conflito: uma pequena população que teve de encarar sozinha a recepção de um fluxo jamais antes imaginado de imigrantes.

Reynaldo, o mediador da conversa atrás da rodoviária de Manaus, é também o mais ponderado do grupo. Ataca Maduro, critica a oposição e o embargo à

Venezuela, lamenta os ataques xenofóbicos e agradece a recepção dos brasileiros. "No Brasil vocês não discutem política como nós na Venezuela", fala em tom de brincadeira e tristeza. "Essa foi a nossa ruína...".

Com cerca de 576 mil habitantes, de acordo com o Censo de 2010, Roraima é o menor estado brasileiro do ponto de vista populacional. É também o único isolado da rede de energia nacional, dependendo da vizinha Venezuela para o abastecimento elétrico. Os apagões são frequentes em Boa Vista, capital do estado, com cerca de 300 mil habitantes, por causa das interrupções decorrentes das quedas de transmissão da Venezuela. Quando tais apagões acontecem – eu mesmo presenciei dois –, são as termelétricas do estado, muito mais custosas, que começam a operar para suprir a energia.

Para que o estado possa ser integrado à rede elétrica nacional, os projetos elaborados pelo governo federal incluem uma ligação via estado do Amazonas, cruzando o território dos indígenas Waimiri-Atroari, localizado na divisa entre os dois estados, com um linhão elétrico para conectar Roraima com Tucuruí. Os indígenas se opõem veementemente. Trazem na memória os duros anos do desenvolvimentismo promovido pela Ditadura (1964-1985), que quase levou ao extermínio do seu povo. O impasse é tamanho que derrubou um presidente da Funai, o general Franklimberg Ribeiro Freitas, em função das dificuldades de negociação com os indígenas para a construção do linhão.

O isolamento elétrico é uma imagem perfeita para retratar a sensação de afastamento de Roraima do resto do país. Os indígenas têm sido frequentemente considerados, tanto pelo senso comum quanto por políticos locais, como os responsáveis pela falta de desenvolvimento do estado, pela falta de energia e pela questão fundiária. Quase metade da área de Roraima (46%) é território indígena.

Segundo Marcos Braga, professor de licenciatura intercultural indígena na Universidade Federal de Roraima, "aqui é um estado anti-indígena e se tornou um estado anti-PT por conta da Raposa Serra do Sol", território indígena demarcado em 2005, com forte oposição da população não indígena. Para ele, a questão se deve principalmente à desintrusão dos arrozeiros liderados por Paulo César Quartiero, que, eleito deputado federal em 2010, traz no currículo a acusação de coordenar o ataque de pistoleiros a indígenas Makuxi. Denise Wapichana, liderança indígena e estudante de Letras, lamenta: "É um ódio tão grande com relação aos povos indígenas. Eles perguntam por que o índio quer tanta terra. É muito triste ouvir isso".

No que diz respeito aos imigrantes venezuelanos, o mesmo raciocínio de bode expiatório utilizado em relação aos indígenas se reproduz e é explorado por políticos, em corrida eleitoral, e pela mídia local – dominada basicamente por esses mesmos políticos. É o caso do ex-senador Romero Jucá (MDB), que em 2018 buscou a reeleição, sem sucesso, cuja família detém a posse do maior grupo de comunicação do estado, com afiliadas da Rede Bandeirantes, TV Record, rádios e jornais impressos.

Segundo o professor Elói Senhoras, do Núcleo Amazônico de Pesquisa em Relações Internacionais da Universidade Federal de Roraima (UFRR), "havia um profundo problema de violência em Roraima. Diante da chegada dos imigrantes e do volume de crimes já existentes, observa-se um crescimento marginal da violência", destacando que Roraima é o estado que mais assassina mulheres e população LGBT em termos *per capita*. De acordo com ele, "a agenda política recorre aos venezuelanos como bodes expiatórios, e a questão da imigração massiva de venezuelanos passa a ocupar o lugar que nas últimas campanhas destinava-se à questão indígena".

A convivência entre a população brasileira e venezuelana não é, porém, só feita de conflitos. Boa Vista e Pacaraima se tornaram cidades bilíngues, e é possível encontrar venezuelanos trabalhando nos mais diversos tipos de serviço, lado a lado com brasileiros, se comunicando em "portunhol", e muitos brasileiros se orgulham de ajudar os imigrantes. Assim, se a população roraimense sente ter feito o possível e o impossível para acolher a população venezuelana, o mesmo não se pode falar do governo federal brasileiro, cujas medidas parecem ser puramente cosméticas.

Na visão de Marcos Braga, "o Estado brasileiro foi muito tímido": enquanto se estima que 100 mil venezuelanos já cruzaram a fronteira de Pacaraima desde 2016, o governo fez a interiorização de apenas algumas centenas e construiu doze abrigos (dez na capital, dois em Pacaraima), que acolhem pouco mais de 5 mil pessoas.

"Estão tentando colocar um país todo em um só estado" é uma frase comumente ouvida em Roraima, e não é um exagero. Cem mil pessoas chegando representam 20% da população do estado, que é pobre e com pouca capacidade de gerar empregos, com o orçamento dependente quase exclusivamente de contracheques da administração pública e de pequenos serviços. Por fim, o incômodo com a imprensa nacional, que rapidamente tachou a população roraimense de xenófoba, apenas aumenta sua sensação de isolamento do resto do país.

É difícil precisar um perfil exato do imigrante venezuelano que cruza os cerca de 13 quilômetros que separam Santa Elena de Uairén, na Venezuela, de Pacaraima, no Brasil. Em comum, talvez apenas a fuga da miséria e da fome que assolam o país vizinho e a busca por uma vida melhor no estrangeiro, de preferência temporária, marcada pela expectativa de um pronto regresso ao seu país de origem, "quando a situação melhorar" ou "quando tirarem Maduro", o que para muitos é sinônimo.

Grande parte dos imigrantes que entrevistei não pensa sequer em ficar no Brasil. Cruzaram a fronteira seca, de fácil acesso, e envolvendo relativamente poucos custos, com o plano de trabalhar no que quer que surja para conseguir chegar a um país de língua espanhola. Na rodoviária de Boa Vista, um jovem casal venezuelano perguntava, desnorteado, sobre a distância entre Boa Vista e Porto Alegre ou Foz do Iguaçu. Tanto faz.

Essa sensação de estarem perdidos, tentando de todas as maneiras possíveis atribuir um sentido à vida em trânsito, parece ser definidora daqueles que estão em imigração. Ariadne, uma jovem de 18 anos de Maracay, que pede dinheiro com um bebê no colo, nos semáforos da praça das Águas, em Boa Vista, afirma que "ficou um mês sem comer nada na Venezuela, tudo o que obtinha dava aos avós", responsáveis pela criação da jovem. No ônibus entre Boa Vista e Pacaraima, Jamehary e Adrián, mãe e filho, regressam à Venezuela depois de uma estada de dois meses no Brasil. Levam consigo mercadorias, dinheiro e comida, com uma aposta de que o pacote de medidas anti-inflação de Maduro surta efeito: "A situação na Venezuela é crítica. Não há nada para comer, nada de medicamentos, nada para vestir", afirma Jamehary. Esse vai e vem entre os dois países é constante. José María, jovem de 29 anos (a mesma idade que eu) que se sentou ao meu lado durante o trajeto de quatro horas entre Pacaraima e Boa Vista sob um calor inebriante, está voltando para a Venezuela para encontrar a sua namorada. Ambos eram designers em Caracas. Ele largou a profissão e veio para o Brasil tentar a sorte como malabarista, atividade que havia aprendido como hobby na adolescência. Viajou pelo Norte, chegou até Jericoacoara (CE) e convenceu a sua namorada a se juntar a ele.

Os exemplos se repetem. Há venezuelanos trabalhando em bares, comércios, restaurantes e feiras. Pedindo dinheiro nas ruas, dormindo ao relento, na rua praticando prostituição ou dormindo em abrigos, compartilhando casas alugadas ou "adotados" provisoriamente por famílias brasileiras.

Os roraimenses parecem ter uma leitura da situação a partir de duas categorias fundamentais: religião e trabalho. Se é verdade que elas não se sobrepõem, seguramente se tocam em diversos aspectos. Doação de bens e acolhimento sempre vêm acompanhados por discursos cristãos do bem ao próximo, do autossacrifício e da provação. E são as igrejas pequenas, ao menos na visão de muitos roraimenses e venezuelanos, senão de fato, que mais atuam junto aos imigrantes. Por sua vez, a categoria trabalho sustenta o crivo moral que permite aos roraimenses e aos venezuelanos distinguir venezuelanos "de bem", "trabalhadores" e "sofredores" dos "vagabundos", "bandidos", "gente que não presta". Mas o mundo do trabalho impõe as suas próprias contradições, e é crescente a sensação de que os imigrantes estão dispostos a receber menos pelos mesmos serviços. A categoria de "trabalhadores sofridos" é, de certa forma, reivindicada por todos os venezuelanos com os quais conversei, tratando imediatamente de distinguirem-se daqueles que estão cometendo os delitos: "Por culpa de alguns, pagamos todos", resume Jamehary, sobre os eventos em Pacaraima, conforme nos aproximávamos da cidade.

Decidi me encontrar com diversas lideranças indígenas de Roraima para falar sobre a situação de ódio e preconceito que vivem cotidianamente, tentando entender melhor essa espécie de transferência de responsabilidade pelas mazelas do Estado antes atribuída aos indígenas, agora atribuída aos venezuelanos.

Dário Yanomami é considerado uma das mais importantes lideranças indígenas do país. Filho de Davi Kopenawa, poderoso xamã e liderança Yanomami, Dário é vice-presidente da Associação Yanomami Hutukara (a presidência sendo ocupada pelo seu pai), que faz o contato entre as populações Yanomami e trabalha na divulgação de sua cultura, com publicação de livros sobre cura pelas plantas e artesanato. "Quando os portugueses invadiram nosso país, já havia esse preconceito. Ele veio junto. Os não indígenas não lidam bem com a gente, acham que não somos pessoas", afirma Dário, que continua: "Por ser Yanomami, eu sei o que eles [venezuelanos] estão sofrendo, o preconceito".

A história do contato com a população Yanomami chamou atenção de todo o mundo, pela violência do Estado brasileiro e pela força da luta política indígena. Embora tenham ocorrido contatos pontuais desde o século XIX, e a entrada de missionários nos anos 1940 tenha estabelecido relações mais estáveis com a população Yanomami, é com o desenvolvimentismo promovido pela ditadura brasileira nos anos 1970 e 1980, com projetos de estradas, colonizações, fazendas e a chegada do garimpo, que o contato se torna constante, implicando epidemias de doenças que dizimaram a população Yanomami. A construção da Rodovia Perimetral Norte (1973-1976) foi crucial para a chegada dos colonizadores e garimpeiros, que contaminaram os afluentes do rio Branco, em uma verdadeira corrida pelo ouro. No início da década de 1990, estima-se que cerca de 30 mil a 40 mil garimpeiros trabalhassem dentro do território que estava em vias de ser reconhecido como Terra Indígena Yanomami. Com a forte luta política indígena e campanha internacional de proteção da vida e dos direitos Yanomami, a Terra Indígena (TI) é finalmente homologada em 1992 pela Funai, diminuindo drasticamente o número de garimpeiros, embora não extinguindo o problema.

"Nós, Yanomami, estamos tomando água suja, cheia de mercúrio", afirma Dário, destacando que, com a alta do preço do ouro nos anos 2000, os garimpeiros voltaram com força a invadir o território Yanomami. Para ele, está clara a relação direta entre garimpeiros e políticos, referindo-se diretamente a Romero Jucá, apoiador de projetos que pretendem legalizar a mineração em terras indígenas. "É o Romero Jucá quem banca os garimpeiros na terra Yanomami, mas não sabemos quem compra o ouro, os compradores internacionais", acusa o líder Yanomami.

Dário conta que sofre muitas ameaças; ele, sua família e a associação Hutukara, mas que foi escolhido pelo seu povo para ocupar essa posição, embora não goste da vida na cidade, voltando constantemente à aldeia para ganhar forças.

Acusa também os garimpeiros pelo assassinato de dois indígenas Yanomami isolados (ou seja, sem contato permanente com a sociedade "do branco") e afirma que, com a crise na Venezuela, muitos garimpeiros do país vizinho têm invadido seu território ancestral. De acordo com o sétimo ofício da Procuradoria da República de Roraima, foi instaurada uma investigação específica para o caso do assassinato dos dois indígenas, e uma geral sobre o garimpo na região, tanto no âmbito civil como criminal. Para a assessoria da Procuradoria, trata-se de uma situação crítica. Um dado que parece animar Dário é o crescimento da população Yanomami, recuperando a grave perda demográfica sofrida durante a Ditadura. Por isso, questiona os brancos que afirmam que seu território é grande demais: 9 milhões de hectares para cerca de 26.200 indígenas é pouco, segundo a liderança, diante do crescimento populacional Yanomami.

Não é difícil escutar falas contra os povos indígenas em Roraima. O dono da pousada em que me hospedei em Boa Vista, e que adotou dois jovens venezuelanos de 20 anos para cuidar, não hesita em me falar que a questão dos índios em Roraima é "ridícula": "Eles foram todos importados dos Andes pela Holanda". Um motorista que conduz imigrantes em carros compartilhados entre Pacaraima e Boa Vista considera que os índios são indolentes, não gostam de trabalhar e têm muitas terras e privilégios. Um garimpeiro casado com uma indígena Taurepang diz, ao lado de sua esposa, que os índios "não existem mais".

O professor Marcos Braga, do Insikiran, unidade de ensino da UFRR voltada para os povos indígenas, com formação em saúde, pedagogia e gestão territorial, lembra que quando chegou à Boa Vista, em 2005, a cidade estava tomada pelas discussões sobre a demarcação da Terra Indígena Raposa Serra do Sol. "No dia seguinte à decisão do STF, as pessoas saíram de casa de preto, com fitas pretas, em luto por Roraima", afirma Braga, que me recebeu em seu escritório na UFRR. Para Maria Bárbara Bethônico, também professora do Insikiran, na área de gestão de território, a população não indígena pressiona, defendendo que as terras devem se tornar produtivas no modo capitalista: "Esse discurso de que a terra está sendo subutilizada é muito forte. Mas temos que entender que é uma forma diferente de pensar a terra". De acordo com a professora, a imagem folclorizada do índio, pelado e com flechas, reforça esses preconceitos. Denise Wapichana, do povo Wapichana e estudante de Letras, reflete acerca dos desafios que envolvem a entrada da mulher indígena na política: "Quando eu cheguei na cidade, um funcionário da Funai falou que eu tinha perdido todos os meus direitos como indígena. Mas eu sou indígena Wapichana, mesmo usando sapato e roupa de branco". Denise pretende ser professora bilíngue em sua aldeia, escrever um livro infantil em Wapichana e participa ativamente da vida política indígena na cidade. Considera o *campus* da UFRR uma "maloca grande", onde diferentes povos indígenas se encontram.

"Quando o homem branco acabar com todos os Yanomami com garimpo e doenças, a vingança vai cair na cabeça dos brancos. Os rios vão desaparecer para debaixo da terra, chuva forte vai destruir cidade e selva. Esse é o nosso segredo, e vamos contar para eles", termina a entrevista Dário, em tom profético.

A cidade de Pacaraima está localizada dentro da Terra Indígena São Marcos. No passado uma fazenda real, converteu-se depois da proclamação da República em propriedade privada e apenas em 1992 foi homologada como território indígena dos povos Macuxi, Taurepang e Wapichana. À diferença da imagem que comumente se tem da vegetação amazônica, uma espécie de cerrado e pântanos, conhecidos como savana tanto do lado brasileiro como venezuelano, marca a paisagem local.

Além de todas as dificuldades pelas quais passa a cidade de cerca de dez mil habitantes com a crise migratória, há grande incerteza jurídica na área urbana do município, pois ainda está em discussão a desintrusão dos não indígenas da TI. Uma cidade pequena, sem capacidade de gerar empregos para esse enorme influxo de imigrantes. Todos na cidade demonstram uma sensação de impotência e de cansaço, de não serem capazes de ajudar os venezuelanos. E esse fluxo é crescente.

Os imigrantes e os brasileiros têm mais em comum do que pode parecer, diante da inação de governos que ou negam o fluxo de imigrantes, como faz Maduro, ou afirmam que estão elaborando um programa de ação para lidar com a crise que nunca vê a luz do dia, como fez o governo Temer. Diante do caos instaurado nas ruas da cidade, faltava apenas uma faísca para que o barril de pólvora explodisse, que foi o já muito retratado episódio de roubo e agressão ao comerciante Raimundo Nonato de Oliveira, somado à recusa da ambulância em levar o ferido para um hospital em Boa Vista, pois essa seria de uso exclusivo de venezuelanos. As pessoas resolveram agir por conta própria, culminando em imagens das mais tristes e repugnantes dos últimos tempos, quando no dia 18 de agosto a população local agrediu e expulsou os imigrantes, além de queimar os seus pertences.

Depois do ocorrido, muitos moradores brasileiros da fronteira afirmam que a situação na cidade está melhor, embora poucos se orgulhem ou assumam a sua participação. Ezequiel Matos, que faz o percurso de carro entre Pacaraima e Boa Vista levando e trazendo imigrantes venezuelanos, pondera: "Se você perguntar pro cara que expulsou os venezuelanos se ele acha certo o que fez... claro que não... queimou a roupa de muita gente que não tinha mais nada". Em meu último dia na cidade, em um boteco em uma viela próxima à rodoviária, um grupo de brasileiros, tanto indígenas como não indígenas, contava os casos de violência que viram na cidade, relembrando cenas da expulsão, em tom de lamento, como uma senhora venezuelana que se jogou no mato com suas roupas em sacos de lixo, para não ser expulsa nem ter os seus bens queimados – diante de suas súplicas, os agressores ficaram paralisados. Lamentam também a violência contra o comerciante Raimundo Nonato, aparentemente muito querido por todos.

Na Venezuela, em Santa Elena de Uairén, existe uma grande migração interna de venezuelanos. Comenta-se que ali é atualmente o melhor lugar do país, onde ainda se pode encontrar alimentos. Com o novo preço da gasolina e controle de venda pelo governo, um complexo sistema de abastecimento, com filas quilométricas se formou. Adriana Stava, vendedora em uma quitanda de frutas e originária de Sucre, na costa, se lembra com clareza do dia em que os brasileiros expulsaram os venezuelanos. Ônibus foram deslocados para acudir a população, enquanto outros seguiram caminhando: "As pessoas passavam ainda correndo e chorando. Muitas vieram andando desde a fronteira, morrendo de medo". Adriana pensa em breve em cruzar a fronteira rumo a Manaus, assustada com a miséria que vê em seu país.

⁂

A percepção em Roraima sobre a chegada dos venezuelanos é marcada também por uma série de fake news. Alguns dizem que Maduro liberou centenas de presos na Venezuela, pois não tinha mais como alimentá-los na cadeia, e deixou-os na fronteira. Um pai e um filho que trabalham em Boa Vista consertando geladeiras, e em breve pensam em retornar a Caracas, afirmam que os venezuelanos que estão cometendo crimes no Brasil são a "tropa de choque" que Maduro usava para defender o seu governo diante dos protestos, e que já não consegue mais pagar. "Não são venezuelanos, e sim nicaraguenses e cubanos com passaporte venezuelano", afirma outro, que pretende ir de carro com sua família ao Chile, e espera na frente da rodoviária de Pacaraima outro viajante para dividir custos. Na rádio local, escutei um radialista explicar que se trata de uma notícia falsa o boato de que o governo brasileiro concederia aos venezuelanos o direito de votar nas próximas eleições. Páginas na internet, como "Roraima Sem Censura", misturam a promoção de falas de ódio, *fake news* inflamatórias e racismo contra venezuelanos com uma plataforma pró-Bolsonaro.

O uso eleitoreiro da crise migratória é uma das raízes das tensões. Segundo a pesquisa realizada pelo Ibope entre 13 e 16 de agosto, antes do atentado contra Jair Bolsonaro, o candidato à Presidência da República pelo PSL aparecia com 38% das intenções de voto no estado de Roraima – ou seja, tirando-se brancos e nulos, seria eleito no primeiro turno. É Bolsonaro quem tem o discurso mais ferrenho em Roraima: fechar a fronteira e acabar com as terras indígenas do estado. Um discurso que recebe atenção da população não indígena, mas cujas medidas dificilmente poderiam ser implementadas sem ferir a Constituição Federal e os tratados internacionais sobre fronteiras dos quais o Brasil é signatário. Para Dário Yanomami, "se ele [Bolsonaro] ganha a Presidência do Brasil, os índios vão entrar em guerra. Vai sujar o nome do Brasil e derrubar sangue indígena!".

Em Roraima, um dos maiores aliados de Bolsonaro, com outdoors muito visíveis por todo o estado, é Antonio Denarium, conhecido agropecuarista local, candidato ao governo do estado e responsável pelo Frigo10, uma reunião de frigoríficos bovinos privados no estado. Uma das bases de sua proposta de governo é o desenvolvimento da agricultura em terras indígenas e o reforço da segurança.

Romero Jucá é uma figura altamente impopular em Roraima, conforme pude perceber em inúmeras conversas. Ele concentra em si uma imagem da sensação de descaso e abandono que o roraimense alimenta em relação ao governo federal. Para o professor Elói Senhoras, foi a falta de posicionamento de Jucá sobre a crise migratória, e não os escândalos de corrupção nem as ligações com o garimpo ilegal, que arruinou a sua reputação. Em junho de 2018, o presidente Michel Temer visitou Roraima e propôs um plano de ação para melhor receber os imigrantes, embora muito pouco tenha sido feito. Diante dos cerca de 100 mil venezuelanos que cruzaram a fronteira, os doze abrigos no estado e as medidas de interiorização, que distribuíram algumas poucas centenas de pessoas para o resto do Brasil, são meramente simbólicos.

Talvez um dos melhores exemplos do descaso e da incapacidade de ação do governo, no âmbito federal e estadual, seja a maneira como lidou com a população indígena venezuelana Warao. Essa população começou a ser desapropriada de seus territórios tradicionais em meados dos anos 1950, com a agropecuária, mas foi apenas em 1980, com a exploração de petróleo em seus territórios no delta do Orinoco, que se viram obrigados a realizar migrações internas na Venezuela. Diante da crise inflacionária e falta de alimentos do país, e com dificuldade para conseguir doações, passaram a vir para o Brasil. O governo de Roraima então teve a ideia de distribuir esses indígenas em aldeias da região, como se essa ação imediatista pudesse resolver o problema. Para Mayra Wapichana, assessora de comunicação do Conselho Indígena de Roraima (CIR), "há grandes diferenças culturais, tem muito que se discutir ainda". O CIR, como é chamado o conselho, iniciou um diálogo junto aos Warao e entidades sociais para entender o que de fato aconteceu com essa população indígena na Venezuela, o que anseiam e como podem os indígenas de Roraima auxiliar nessa situação.

Enquanto termino de escrever esta reportagem, mais um episódio de ódio e violência em Boa Vista. No dia 8 de setembro de 2018, mais de cem imigrantes deixaram a cidade após o abrigo em que estavam ter sido atacado por brasileiros. Eles assassinaram um venezuelano que havia matado um brasileiro que tentou defender uma pequena venda que era assaltada. Nem o Exército nem a Polícia Militar de Roraima conseguiram conter o ataque contra o centro de acolhida. Ao que tudo indica, e a depender do uso político feito da crise migratória, da contínua chegada de imigrantes e do descaso do governo brasileiro, casos como esse talvez deixem de ser tão pontuais.

ANAMÁ
VENEZUELA
RIO ORINOCO
colombia
EQUADOR
SANTARÉM
RIO AMAZONAS
BRASIL
Peru
BOLÍVIA
CUIABA
CHILE
PARAGUAI
ARGENTINA
URUGUAI

Dona Madalena e seu filho, cujo nome infelizmente me escapou, possuem um pequeno comércio no bairro Cambuquira, já na beira da estrada que liga Santarém à Cuiabá, próximo à escola Nossa Senhora de Fátima.

Nesta escola, a prefeitura de Santarém instalou por anos um abrigo improvisado para os refugiados venezuelanos que chegavam na cidade. São, em sua maioria, indígenas Warao, vindos do ponto de encontro entre o rio Orinoco e o Mar do Caribe. O percurso, embora conhecido por todos que com eles conversa e tratado com naturalidade, é impressionante: do caribe venezuelano a pé até Manaus, e de lá, de barco até Santarém. Com o pouco que ganham com coletas nas ruas e pequenos serviços na cidade, os indígenas se habituaram a comprar mercadorias de Dona Madalena e seu filho.

Após uma visita-inspeção do Ministério Público Federal, que considerou inadequadas as instalações da escola Nossa Senhora de Fátima para abrigar aos cerca de duzentos Warao que ali viviam acampados e amontoados, a prefeitura de Santarém os transferiu para um novo abrigo. Este está localizado um pouco depois do bairro de Ipanema, já avançados na estrada em direção à Cuiabá, nos limites da zona urbana da cidade. O novo abrigo é uma chácara, pela qual se chega por um caminho de chão de terra batida, muito quente, atrás de uma fábrica que produz estruturas metálicas e cimento.

No novo abrigo para o qual foram levados, cerca de dois meses antes de eu ir até lá, em julho de 2019, os Warao reclamam: só lhes servem frango com arroz. Todos os dias. Apenas uma refeição por dia.

Talvez pelo costume, talvez pelo afeto, ou quem sabe por qual outro motivo, eles continuaram voltando ao bairro de Cambuquira, na vendinha de Dona Madalena, para fazer compras. Convenceram ela e seu filho a abrirem uma “filial” no porta malas de seu carrinho. Todas as tardes, eles deixam a loja fixa, e vão para o abrigo atender as demandas dos Warao.

Não consegui realizar as entrevistas para uma reportagem no abrigo. A prefeitura de Santarém me deu bons chás de cadeira. Ainda assim, achei que valia a história e a reflexão sobre os Warao que, tendo ativado seu ímpeto nômade, abalam, ainda que sutilmente, a fixidez do mundo ao seu redor.

Vida e morte de uma baleia-minke no interior do Pará

Talvez fosse possível recontar a história de determinadas populações pelo lugar que os animais desconhecidos ocupam em seus imaginários. Assim o foi na Grécia Antiga, em que as concepções políticas eram permeadas por seres com características metade humana, metade animal. E também no período das grandes navegações – evento fundacional da ideia moderna de Europa que culminou na violenta colonização do continente americano e no genocídio de sua população nativa – em que os mapas portugueses e espanhóis eram ilustrados com inúmeros seres imaginários.

O aparecimento de uma baleia-minke (*Baleanoptera acutorostrata*) em Piquiatuba, uma pequena comunidade às margens do rio Tapajós, no Estado do Pará, distante cerca de mil quilômetros do oceano Atlântico, despertou não apenas a imaginação e curiosidade dos moradores do local e dos arredores, mas de todo o país, devido à grande repercussão midiática em torno ao caso. A comunidade fica dentro da Floresta Nacional do

Tapajós, cuja gestão cabe ao Instituto Chico Mendes de Conservação da Biodiversidade (ICMBio).

Quando ela apareceu, encalhada na praia da comunidade, não se soube de imediato que se tratava de uma baleia, animal de presença inimaginável no meio da Amazônia. Devido ao musgo e à terra, a primeira impressão era de que aquilo não passava de um pedaço de árvore em processo de decomposição, então aparente pelo período de seca. Com o passar do tempo, e a percepção de que aquela matéria de dimensões consideráveis se movimentava, iniciaram os rumores de que o animal era a cobra grande do rio Tapajós, mito ribeirinho sobre uma mulher que dá à luz um casal de cobras gêmeas, e que é considerado por antropólogos como uma variação de mitos indígenas pré-colombianos.

Foi apenas com a chegada do professor Jonathás Xavier dos Santos, na época com 29 anos, em uma embarcação com os alunos para quem lecionava aulas de português na escola da comunidade de Piquiatuba, e a constatação de esguichos de água provenientes do dorso do animal, que se chegou a improvável conclusão de que o que se encontrava ali encalhado era uma baleia.

O ônibus lotado, com pessoas e cargas amontoados uns sobre os outros, sacudia pela BR-163, que liga Cuiabá, no Mato Grosso, a Santarém, no Pará. Sob um sol escaldante, moradores que voltavam para as suas casas na Flona do Tapajós, vindos da cidade paraense, paravam para realizar compras essenciais para quem vive em um lugar de difícil acesso, como pães em uma padaria e encher galões de gasolina na saída da estrada.

Cerca de três horas de trajeto são necessários para percorrer a distância de cem quilômetros entre Santarém e a pequena Piquiatuba. A comunidade está localizada na margem direita do rio Tapajós, no município de Belterra, dentro da Flona do Tapajós, uma Unidade de Conservação (UC) criada em 1974, que com 527 mil hectares e mais de 160 quilômetros de praias, abriga cerca de 5 mil moradores, dos quais 500 indígenas. Piquiatuba, que significa Piquiá Grande, devido à presença dessas árvores na floresta, estava com um tempo abafado e pesado na tarde em que cheguei. Fazia um dia quente sem os ventos típicos que trazem frescor às comunidades beira-rio no fim de tarde, mas que era compensado pela sensação de calma e organização do vilarejo, que conta com posto de saúde, escola fundamental, rádio e pousada comunitária.

Remerson Castro Almeida estava na escola, no dia 14 de novembro de 2007. Seguia a aula de português do professor Jonathás Xavier dos Santos, quando, por volta das 15h, momento de maior quentura do dia, antes da temperatura começar a baixar, entraram na sala gritando: "Tem um negócio lá no rio que solta água, tipo um jacaré gigante!". O professor Jonathás não pensou duas vezes e embarcou com a sua turma em uma bajara, pequena embarcação de madeira comum na Amazônia. O local é afastado do centro da comunidade e considerado de difícil acesso, sendo necessário ultrapassar um igarapé e um banco de areia para alcançá-lo.

Naquela época, o Instituto Brasileiro do Meio Ambiente e dos Recursos Renováveis (Ibama) era o órgão responsável pela administração da Flona Tapajós e permitia a criação de gado nos acessos à floresta – hoje ela está proibida. Um dos criadores pediu a seu enteado que fosse atrás de um boi que escapara para a beira do rio. Foi aí que o jovem percebeu que aquela enorme massa não era um tronco em decomposição, e voltou correndo para a escola. A hipótese dos pescadores locais que haviam avistado a estranha massa na beira do rio de que se tratava de um tronco em decomposição, dele se desviando para evitar colisões costumeiras nas épocas de seca em que o nível do rio desce, deixando aparecer grandes troncos, ia por água abaixo diante da movimentação da coisa.

Dez minutos de bajara levaram o professor e sua turma para a ponta da praia onde se encontrava o animal encalhado. Eram no total doze ou treze pessoas. Cautelosos, foram rodeando-o devagar, certificando-se de que não era perigoso, enquanto corria comunidade afora o boato de que se tratava da Cobra Grande.

O professor Jonathás, ao se aproximar, verificou que não se tratava de uma cobra, e imaginou então que fosse um peixe grande, o que não foi motivo de alívio imediato. Prezando pela segurança dos seus alunos, conteve-os para que não tocassem o animal: como o maior peixe da região é o pirarucu, medindo apenas três metros, o professor pensou que poderia ser um tubarão, já que circula na região histórias de tubarões pescados em Santarém.

Foi então que Remerson, no auge dos seus quinze anos, dotado de um peculiar espírito de aventura adolescente, segundo as suas próprias palavras, tomou a dianteira e tocou o animal, tirando o limo de suas costas. Jonathás então entendeu que se tratava de uma baleia. Em poucas horas, o local seria convertido em uma verdadeira atração turística, atraindo milhares de visitantes nos dias que seguiram a descoberta do animal.

Dona Teca, mãe de Remerson, sexagenária, nasceu e cresceu em Piquiatuba. Sua casa, localizada na beira do rio, tem as paredes da cozinha e a ligação com o teto abertas, para a melhor circulação do ar. Apesar de ter boas recordações das temporadas vividas fora da comunidade, ao longo da década de 1970, quando dormia ao relento na Ilha do Amor, um dos cartões postais mais conhecidos do Estado do Pará, em Alter do Chão, não se acostumou e logo retornou à Piquiatuba.

Um tom saudosista e ambíguo domina suas falas, quando trata das transformações pelas quais passou Piquiatuba desde a sua infância: a chegada da energia elétrica, a escola, o posto de saúde e o microssistema de abastecimento de água de lençóis freáticos são motivos de orgulho; enquanto as mudanças nos hábitos alimentares geram reflexões sobre o aumento de doenças, atribuídas por ela principalmente ao excesso de açúcar. Relembra da época em que iam de barco a remo até Santarém, quando muito ajudados pelo vento, em uma viagem que levava uma semana, para trocar sacos e sacos de açaí por velas e sabão, então considerados o essencial "de fora" para viver.

A região do Baixo Tapajós, por onde a baleia-minke passou em 2007, é hoje um verdadeiro campo de batalha, marcado pelo confronto de diferentes visões de mundos e concepções acerca do território. Os projetos desenvolvimentistas que preveem a instalação de 43 usinas hidroelétricas na bacia do Tapajós, o avanço do desmatamento e do cultivo da soja, o garimpo e as madeireiras são apenas algumas das ameaças temidas pela população local. São afrontas aos seus modos de vida.

À época do encalhamento da baleia, Márcia Marinho Viana era uma recém-chegada em Piquiatuba. Veio para trabalhar como professora na escola, onde Sebastião dos Santos Alves Filho era secretário. Hoje casados, com um filho e uma filha, temem que a situação de violência e desrespeito aos direitos de acesso à terra que está sendo imposta aos índios Munduruku, por conta dos projetos governamentais de construção de hidrelétricas no Médio Tapajós, possa se repetir com eles.

Para o casal, a única razão pela qual a área em que vivem não estar sendo tomada pela soja, como em outras zonas do município de Belterra, é por se tratar de uma área protegida, de propriedade do governo, e que, portanto, não pode ser vendida. A população da comunidade vive de pesca, caça e agricultura de subsistência, e recentemente vem investindo na criação de uma agência comunitária de turismo, acompanhada da criação de um grupo de mulheres cozinheiras, de modo a permitir a entrada de recursos na comunidade sem destruir a riqueza ambiental em que vivem.

Apesar dessas parcas garantias e da relativa estabilidade, o maior receio das pessoas que vivem ali é de serem removidas do local. O medo não é sem fundamento, já que práticas de remoção de populações tradicionais amazônicas acontecem com frequência desde a Ditadura Militar iniciada em 1964, em que indígenas foram expulsos de suas terras e levados para outras, conforme os interesses desenvolvimentistas do governo. Durante a criação da Flona, em 1974, Sebastião afirma que houve muita luta para que os habitantes da região permanecessem no local, pois o governo queria uma reserva florestal desabitada. Mais recentemente, quando da construção de Belo Monte, inúmeras famílias na região de Altamira, no rio Xingu, tiveram que deixar suas casas, que foram então inundadas pela hidrelétrica.

Cansada, agitada, com inúmeros arranhões na barriga e ferida no dorso provavelmente pelo choque com uma embarcação, a baleia-minke necessitava de ajuda, que os comunitários prontamente se organizaram para oferecer. No mesmo dia 14, pela noite, organizaram turnos de vigilância para não deixar a baleia escapar sozinha e continuar perdida rio adentro. Tentaram também contato com o Ibama, afirmando que precisavam de auxílio e relatando pelo telefone a inusitada história de uma baleia encalhada em uma das praias da comunidade. O órgão responsável pela Flona tardou em acreditar. A primeira reação dos funcionários do Ibama foi irônica: "Da próxima vez liguem falando que apareceu um elefante por Piquiatuba!", foi a primeira resposta dada. Apenas quando o professor Jonathás tomou o telefone, os funcionários passaram a acreditar na história e a se mobilizar.

O aparecimento da baleia aconteceu uma semana antes do Festival do Açaí, celebrado anualmente, e que atrai diversos visitantes ribeirinhos e indígenas para Piquiatuba. Em decorrência da notícia que então começava a se espalhar, no dia seguinte ao aparecimento do animal, no feriado de 15 de novembro, a comunidade já estava repleta de pessoas, vindas de outras comunidades e aldeias da região, e também de Santarém – onde foi dado o furo jornalístico pelo blogueiro Manuel Dutra, então espalhando a notícia pelo país e mundo.

Crianças disputavam para tirar fotos em cima e ao lado da baleia, enquanto os comunitários se revezavam para cobri-la com lençóis úmidos e protegê-la das queimaduras do sol. A remota região, distante cerca de um quilômetro do centro de Piquiatuba, havia se convertido em um grande estacionamento. As caminhonetes 4×4, com potência suficiente para atravessar o igarapé e o banco de areia que separam a praia onde estava o animal do caminho que dá acesso à comunidade, estacionaram bem próximo ao local do encalhamento. Carros de menor porte estacionaram antes do igarapé, e seus ocupantes seguiram a pé para o local onde se encontrava a baleia.

Ao longo desse dia, biólogos e veterinários do Ibama e da prefeitura de Santarém chegaram ao local e iniciaram os tratamentos veterinários adequados. Enquanto isso, o Ibama contatou o Instituto Baleia Jubarte, que enviou em caráter de urgência Milton Marcondes, um dos responsáveis por acompanhar a reprodução de baleias Jubarte na costa da Bahia. Não obstante o cuidado dos comunitários e os primeiros tratamentos, a baleia escapou naquela mesma noite.

A ponta da praia onde a baleia ficou encalhada é uma área lamacenta na beira do rio Tapajós, repleta de cauxi, espécie de esponja de água doce urticante, que permanece nas margens quando a água baixa na época das secas. É na parte de areia da praia que Remerson e Sebastião apontam para o sem-número de pedaços de cerâmica indígena dispersos sobre o solo. São cerâmicas de diversos formatos, cores, tamanhos e materiais, que os comunitários identificam como pertencentes aos seus antepassados indígenas, e que ainda carecem de estudos arqueológicos aprofundados, o que torna o local uma espécie de enorme cemitério abandonado a céu aberto.

Embora não se considere indígena, a população de Piquiatuba fala com respeito de seus antepassados, e parece ter muita admiração pelos vizinhos de Takuara e Bragança, que estão entre as primeiras comunidades do Baixo Tapajós a se identificarem enquanto indígenas na virada do século XX para o XXI. Esse processo é conhecido na região como um momento de reorganização do movimento indígena, em que a população passa a se reconhecer e reivindicar direitos indígenas vivendo em aldeias, questionando então a violenta narrativa do processo de embranquecimento, em nome de uma valorização de suas formas de vida.

Uma hora e 45 minutos de canoa separam Piquiatuba, localizada na margem direita do Tapajós, de Jaguarituba e Santo Amaro, localizadas na margem esquerda da Reserva Extrativista Tapajós-Arapiuns. A travessia é assustadora, e muitos moradores da região nos desejaram boa sorte e cuidado, já que íamos em uma embarcação minúscula perdida na imensidão agitada do rio, sem nenhum outro barco à vista, e de rabeta – motor dotado de uma pequena hélice de metal.

Pelo que contam os moradores da região, e todos parecem saber os mais peculiares detalhes da história, ao escapar de Piquiatuba a baleia ficou longas horas sem ser vista, e veio a encalhar novamente em uma praia localizada entre as aldeias Tupinambá de Jaguarituba e Santo Amaro, no dia 16 de novembro. Os moradores das duas aldeias estavam a par do aparecimento da baleia e, curiosos, preparavam-se para atravessar o rio e visitá-la na vizinha Piquiatuba quando souberam que ela tinha escapado. Qual não foi a surpresa dos indígenas quando pescadores anunciaram que o animal viera parar justo ali, na divisa entre suas aldeias.

Apesar de terem cuidado muito da baleia e de terem se divertido com sua aparição, como atestam as diversas fotos com adultos ao seu lado e crianças montando em seu dorso, o animal escapou novamente. Mas dessa vez, com um detalhe fundamental: surge o boato de que a baleia teria sido ferida por um arpão ou por uma flecha em sua estadia por Jaguarituba e Santo Amaro. Outros passam a dizer que ela foi ferida com uma vara, e que a mesma pessoa a chutou, o que terminara por estigmatizar as duas comunidades como os locais onde a baleia foi ferida.

Tais hipóteses são prontamente rebatidas pelos indígenas, que afirmam que a baleia já possuía um profundo ferimento no dorso, como já havia sido percebido por moradores de Piquiatuba e pelo professor Jonathás e corroborado pelo laudo veterinário sobre a baleia, que aponta como causa provável o choque com uma embarcação. Além disso, Seu Azulai, morador de Jaguarituba, afirma que viram vários candirus sob as nadadeiras – peixe que se prende à pele, fazendo perfurações para puxar o sangue. "Ficamos muito sentidos, pois cuidamos muito ela", comenta sobre o caso, enquanto mostra fotos de seu arquivo e nos convida para tomar um banho no Igarapé que passa embaixo de sua casa.

O aparecimento de baleias em rios, embora inusual, está longe de ser um evento sem precedentes. Em 2006, uma Baleia-bicuda-de-cabeça-plana-do-norte, também conhecida como Baleia-de-bico-de-garrafa, de cerca de cinco metros e sete toneladas, encalhou no rio Tâmisa, no centro de Londres. Ela se perdeu das distantes e gélidas costas da Escócia e Irlanda do Norte, por onde transita quando escapa do oceano Ártico em busca de águas menos frias – não ouso dizer exatamente águas mais quentes. Trata-se da primeira baleia vista em Londres desde que se iniciaram os registros sobre o rio, em 1913. Em novembro de 2016, uma Baleia Jubarte, que pode pesar até trinta toneladas e chegar a medir 16 metros, foi vista no rio Hudson em Nova Iorque, próxima à ponte George Washington. Ela não encalhou, e provavelmente voltou para as águas salgadas.

A baleia-minke do rio Tapajós, por sua vez, bateu todos os recordes, e é considerada o cetáceo, infraordem de animais marinhos aos quais pertencem as baleias, que percorreu a maior distância rio adentro, mais de mil quilômetros entre a Ilha de Marajó, no delta do rio Amazonas, por onde entrou, e a praia da comunidade de Piquiatuba.

Também conhecida como baleia-anã, a baleia-minke pertence à subordem Mysticety, caracterizada por possuir cerdas bucais similares a peneiras, e não dentes. Para se alimentar, tais animais geralmente engolem um grande volume de água e filtram plânctons ou krill, conjunto de espécies invertebradas similares ao camarão. Essa espécie usualmente passa o verão na Antártica alimentando-se e sobe para águas mais quentes durante o inverno. Em novembro, portanto, com a proximidade do verão, empreendia o seu caminho de volta para a Antártica, de estômago vazio, quando por algum motivo adentrou no rio Amazonas.

Foi em meio a um acalorado jogo de sinuca, na véspera do feriado de 15 de novembro, em um bar em Caravelas, no Sul da Bahia, que o veterinário Milton Marcondes do Instituto Baleia Jubarte recebeu o inusitado telefonema de Fábia Luna, do Ibama de Santarém, com quem já havia trabalhado anteriormente. Após pedir licença para conversar alguns momentos, Milton voltou à mesa e comunicou seus amigos que precisava abandonar a partida para preparar-se para uma viagem de caráter emergencial. A missão? Resgatar uma baleia no meio da Amazônia. Seus companheiros desconversaram, dizendo que a história não passava de uma desculpa esfarrapada para abandonar a partida.

Marcondes passou a noite toda viajando e boa parte do dia seguinte. De Caravelas seguiu para Vitória, dali ao Rio de Janeiro e de lá para Brasília e Manaus para finalmente chegar em Santarém. Durante dois dias, 16 e 17 de novembro, Marcondes integrou a equipe que buscava o animal por helicóptero sem grandes expectativas de encontrá-lo, quando no dia 18 recebem a notícia de que a baleia reaparecera na entrada do rio Arapiuns, em São José do Arapixuna.

O animal foi encontrado próximo à margem, encalhado. A baleia foi novamente coberta de panos para protegê-la do sol, e Marcondes iniciou os primeiros socorros ao animal: o plano consistia em mergulhar para verificar os ferimentos, para então tomar as medidas necessárias, enquanto se esperava a chegada de uma grande rede vinda de Santarém para conter o animal no Igarapé da comunidade e cuidar de sua recuperação.

Enquanto a rede não chegava, Milton iniciou seu trabalho, mas teve dificuldades em observar o animal por debaixo d'água, por ela ser muito turva e lamacenta. Apalpando-a, verificou a existência de um ferimento superficial, provavelmente provocado pelo que diziam ser um ferimento de lança ou de vara. Botos rosas apareceram rodeando a baleia, como se estivessem prestando solidariedade ao primo distante ferido. Milton medicou o animal com antibióticos, e se preparava para realizar exames de sangues quando o helicóptero de resgate pousou novamente. A baleia começou a tremer. Ao que tudo indicava, tratava-se de uma convulsão, mas Milton logo percebeu que o animal estava assustado com o barulho e o vento causados pela chegada do helicóptero.

Aterrorizado, o animal escapou novamente, passando a nadar em círculos. Já era fim de tarde, e a falta de luminosidade tornava a sua captura para cuidados um risco para o próprio animal (poderia se enroscar na rede que acabara de chegar e se afogar) e para as pessoas que auxiliavam em seu resgate (esmagando-as com suas sete toneladas). Diante de tais perigos foi decidido adiar a operação em um dia. Às 22h, os ribeirinhos que monitoravam a baleia deixaram de escutar sua respiração. O animal havia desaparecido, e não foi mais visto na manhã seguinte.

As buscas foram retomadas, em vão. Ela viria a ressurgir apenas no dia 20, na mesma praia em que desaparecera dois dias antes, com sua carcaça flutuando, já em estado de decomposição bastante avançado – fato que impressionou o veterinário.

Raimundo Castro das Neves, hoje pastor evangélico, tinha 40 anos na época do encalhamento da baleia-minke e já vivia entre Piquiatuba e Alter do Chão, percurso que ainda realiza semanalmente para trabalhar com parentes no ramo da construção na vila turística. Ele conta com emoção que subiu no helicóptero disponibilizado pelo Ibama para buscar a baleia em meio ao breu da noite do dia 15 de novembro, quando ela escapara de Piquiatuba. Não obtiveram sucesso em avistá-la. Certo de que o destino da baleia poderia ter sido outro, Raimundo lamenta profundamente que a comunidade de Piquiatuba não tenha resolvido a questão de maneira autônoma. Ele confessa que chegou a chorar quando tomou conhecimento da morte do animal.

Entre as possibilidades aventadas pelos comunitários estava a de colocar a baleia entre dois catamarãs e percorrer os mil quilômetros que separam Piquiatuba do mar, devolvendo a baleia para as águas salgadas do oceano Atlântico. O custo humano e financeiro da empreitada, porém, impediu a sua realização. O outro plano debatido pelos comunitários consistia em reunir um grupo de homens fortes para transportar a baleia, no braço, para o enorme lago existente no interior de Piquiatuba. Farto em peixes, acreditavam que não faltaria alimentos para a baleia passar feliz o resto de sua vida junto a eles.

Graças ao aparecimento do cetáceo, Piquiatuba ganhou fama como o "lugar onde apareceu a baleia". Todos na região conhecem a história, gostam de contá-la e muitos, para minha surpresa, lembravam-se de que 2017 era o décimo aniversário de seu aparecimento. O encalhe da baleia foi um marco para a comunidade, e objeto de diversos trabalhos e atividades escolares – que além do currículo básico do Ministério da Educação, incorporam em sua grade aulas de Estudos Amazônicos e da História de Belterra.

Sávio Viana Alves, filho de Sebastião e Márcia, nem tinha nascido quando a baleia-minke surgiu em águas paraenses. Ainda assim, conhecem bem o ocorrido, já que história é contada e recontada na comunidade. "Se fosse eu, não deixava a baleia morrer não. Cavaria uma cacimba para ela ficar'', diz o menino de seis anos. Tive também a oportunidade de conversar com uma turma de Ensino Fundamental, alunos que na época do aparecimento da baleia tinham entre dois ou três anos de idade, o que não impede o carinho que têm pela história: "Faria muito carinho nela'', "daria um abraço'', "tiraria uma selfie'', são algumas das falas das crianças sobre como agiriam se uma nova baleia aparecesse na comunidade.

Uma das atividades organizadas pela escola para lidar com acontecimento foram contações de histórias e conversas a respeito do caso, além de aulas de desenho – material esse que se perdeu quando um dos computadores da escola queimou durante uma tempestade.

※

Uma das passagens marcantes de *Moby Dick*, de Herman Melville, é o momento em que o narrador e principal personagem Ishmael traça uma reflexão sobre a importância das baleias no estabelecimento do comércio contemporâneo em sua forma global. Ele insinua que, apesar da insignificância da caça de baleias na literatura mundial e do pouco prestígio de que seus caçadores gozam na sociedade norte-americana do século XIX, são precisamente eles, os baleeiros, os principais responsáveis pela então crescente importância geopolítica dos Estados Unidos. Isso ocorreria, segundo Ishmael, pois apenas a caça de baleias, e a comercialização de seu óleo para iluminação, conseguira romper o exclusivo metropolitano, que resguardava à Espanha a exclusividade do comércio no Pacífico entre suas colônias americanas e asiáticas com a metrópole.

De maneira talvez não tão inusitada quanto o aparecimento de uma baleia no rio Tapajós, poderia-se dizer que uma das etapas subsequentes na estruturação do comércio internacional contemporâneo se dá justamente com a criação de Belterra. Em 1934, o industrial Henry Ford decide desmatar a selva e criar uma zona de cultivo de seringueiras, para extração do látex que então se converteria em pneus para seus carros vendidos ao redor de todo o mundo. Belterra é projetada e construída como uma vila de trabalhadores norte-americanos, com hospitais, escolas, saneamento básico e um porto novo para o escoamento da borracha. Os moradores de Piquiatuba, por sua vez, aproveitaram-se da demanda por borracha e extraíam eles mesmos látex de suas seringueiras para vendê-los em Belterra.

Por fim, não seria exagero dizer que o atual arranjo do comércio internacional tem na região do Baixo Tapajós um de seus nós geopolíticos: tanto pelo escoamento da soja produzida no Mato Grosso, e que já avança pelo Pará, para sustentar o crescimento chinês, como pelas possibilidades de desmatamento e novas plantações almejadas por grandes fazendeiros.

O Centro Cultural João Fona, localizado em frente ao rio Tapajós, no centro da Santarém, conta com um impressionante acervo de arqueologia amazônica, além de ambientes com mobília histórica da cidade, uma sala de exposições temporárias e um espaço onde se encontra o esqueleto da baleia – este último o mais visitado. O edifício, fundado em 1865, já chegou a abrigar simultaneamente a prefeitura, a Câmara de Santarém, o fórum e a cadeia.

Jussara Silva de Almeida, pedagoga responsável pela biblioteca da instituição e por realizar parte das visitas guiadas, parece animada com o momento da instituição, que estrutura um programa de ensino e criação de conhecimento em diálogo com as escolas e com a população santarena, e não apenas para turistas. Entre os frequentadores do Centro Cultural, muitos vêm apenas para ver a baleia, especialmente crianças e moradores da região. Turistas que desconhecem a história do encalhamento normalmente acham que as ossadas foram trazidas para lá por motivos diversos.

Ainda assim, não faltam histórias que os profissionais do João Fona gostam de contar, como a de uma professora que, ao visitar a sala, se impressionou com o tamanho da ossada do animal, e soltou um grito: "Um dinossauro!". Ou mesmo pescadores mais velhos da região, que comparam esse animal a grandes peixes e jacarés que pescaram quando jovens.

Mas a história que mais chama atenção de Jussara, ouvida por ela diversas vezes, diz respeito à suposta origem da baleia em águas tapajônicas, segundo a qual navios estrangeiros chegam carregados de água salgada, que é esvaziada no rio para então roubarem a água doce e saudável da região. Em uma dessas operações, a baleia teria sido despejada no Tapajós, não mais encontrando seu caminho de volta, e terminando por encalhar em Piquiatuba.

É irrelevante debater a verossimilhança de tal história. De uma forma mais ou menos imaginária, sua riqueza está no fato dela ser uma das maneiras pelas quais a população local reflete sobre a vida e as questões políticas de seu tempo. Uma construção poética para atribuir sentido às transformações do mundo ao seu redor, ainda que a partir de um fato tão inusitado e peculiar como a vida e a morte de uma baleia no interior do Pará.

Na rodoviária de Manaus, enquanto tentava me aproximar para fazer entrevistas junto aos venezuelanos que viviam embaixo do viaduto ao lado, me vi tragado para uma situação que poderia não ter terminado exatamente bem. Pouco tempo após minha chegada para a área habitada pelos imigrantes, fui direcionado pelos para uma espécie de sala de estar improvisada, armada com sofás velhos e outros móveis em estado avançado de deterioração. Ali, os refugiados podem se proteger tanto do calor quanto da chuva, evitando a perda dos parcos pertences que conseguem carregar consigo.

Nem sei dizer se já havia passado o muito pouco confortável momento em que eu me apresentava, e em que apresentava a proposta da reportagem que queria fazer ali, quando senti uma mão puxando a carteira do meu bolso traseiro. Fiquei com receio de tomar uma atitude brusca. Sem saber o que fazer, e desejoso de evitar qualquer tipo de conflito – eu mal havia chegado – apenas coloquei a minha mão próxima a cintura. A mão que avançava no meu bolso recuou. Continuamos a conversa truncada com os demais moradores sobre os objetivos da minha vinda, sem que eu tivesse entendido de quem era a mão que adentrara o meu bolso. Segui apresentando a ideia de escrever denunciando a situação em que se encontravam, quando voltei a sentir a mão se aproximando. Estava tudo difícil, e eu tenso.

Resolvi então tentar usar o acontecimento para destravar a situação, e falei que não era legal estarem tentando me roubar. Um dos jovens que até então estava sentado, recrudesceu o olhar, e passou a limpar suas unhas com um facão, enquanto me encarava em tom ameaçador. Não chegou a pronunciar uma palavra, nem mesmo indicar que faria algo. Seu olhar era reprovativo o suficiente.

Falei que se fosse pra continuar assim, não seguiria com a ideia e poderia deixá-los em paz. A mão que até então apenas sentira próxima a minha bunda, e para quem tinha evitado dirigir um olhar direto, se convertera em um jovem sorridente, com riso malandro, como que dizendo "fica frio", que tudo não passava de uma brincadeira.

Resolvime valer dos trunfos que tinha. Disse que tinha um comprometimento ético, que me solidarizava com a situação na qual estavam, e que valeria a pena eles refletirem se queriam ou não alguém denunciando as condições em que viviam, acampados embaixo da ponte.

Disse que poderia ir embora dali tranquilamente, sem rancores, mas que por menor que fosse, por menor alcance que tivesse, uma reportagem poderia minimamente melhorar a situação. Talvez conseguiria chamar atenção para obter algum tipo de auxílio do governo ou doações da população manauara sensibilizada pela dificuldade da vida de centenas de famílias venezuelanas alojadas embaixo de um viaduto.

"Has hablado bien", disse uma voz entre eles. A pequena aglomeração que me cercava se dispersou. O menino de olhar desconfiado terminou de limpar as unhas, deixou o facão de lado, e começamos a conversar.

Uma tarde junto aos venezuelanos no viaduto da rodoviária de Manaus

"Segue a guerra de libertação. Como no tempo da colonização, indígenas e criollos brigando por território". O comentário de Anibal Gutierrez, imigrante venezuelano, algo triste e jocoso, refere-se aos conflitos diários no acampamento em que vivem os venezuelanos, no canteiro embaixo do viaduto e no entorno do Terminal Rodoviário de Manaus, na zona centro-sul da capital amazonense.

Em uma tarde quente de segunda-feira, em 18 de março de 2019, os costumeiros insultos verbais e tensões atingiram o seu ápice, chegando às vias de fato. Pedras e paus voavam por sobre as barracas precárias armadas no gramado ao lado da rodoviária, onde venezuelanos indígenas e não indígenas dormem diretamente no chão, sob lonas de caminhão ou em colchões despedaçados. Ameaçavam-se mutuamente com facões, peixeiras e facas de cozinha. Crianças e mulheres corriam assustadas, enquanto homens se enfrentavam. Alguns, corajosos, corriam para tentar separar.

Uma pedra atingiu Ana Cuparis na barriga. Momentos antes, logo que iniciamos a entrevista, expliquei-lhe que queria conhecer a história da sua vida. Ela me respondeu, seca, olhos cabisbaixos: "Minha história é triste".

Ana quase quebrou a costela, mas passa bem. Ao menos tão bem quanto alguém nessas condições pode passar. No dia seguinte, já estava de volta às suas atividades, pedindo comida no semáforo, com um de seus três filhos no colo, enquanto seu marido, Andrés Perez, cuida dos outros, ou sai para trabalhar como pintor, ou para cuidar de carros na rua, ou para capinar algum terreno. O dinheiro que ganha com essas diárias de pintor, capinador, "ou com o que seja", como afirma Andrés, sustenta, além dos cinco membros de sua família emigrada, os seus pais na Venezuela.

As personagens dessa história estão dadas de antemão, embora elas pareçam não ter muito controle sobre o roteiro que vivem, e que as trouxe para esse cenário desolador. Anibal Gutierrez era vendedor de comida: "Não há condições para viver na Venezuela". Marco Garcia era advogado: "Não estou acostumado com esse tipo de vida". Ravel Ribero é um dos líderes do povo indígena Warao do acampamento: os criollos "estão nos matando. Dizem que somos índios e nos ameaçam". Um cuidador de carros brasileiro, provavelmente embriagado, gritava ao policial: "Nosso presidente tem que mandar eles embora. Por isso votamos em Bolsonaro, e nós vamos mandar". Sargento Gonçalves, um dos policiais responsáveis pelo patrulhamento da região em que se encontra a rodoviária: "Enquanto os órgãos competentes cruzam os braços ou trabalham a passos de tartaruga, sobra para nós, policiais." E continua: "Nós ficamos enxugando gelo e passando por incompetentes, por não conseguir resolver um problema que não é nosso".

Nesta mesma tarde, Jair Bolsonaro, em Washington, elogiava o poder bélico estadunidense em discurso sobre como resolver a crise na Venezuela. No acampamento, em meio aos conflitos internos, a notícia passou despercebida.

Dependendo da maneira como é utilizado o termo criollo, no Brasil, pode ter conotações negativas. Na Venezuela, porém, é a maneira como a população não indígena se entende como venezuelana, como uma população mestiça de povos indígenas, africanos e europeus. A teoria da mestiçagem, do ser criollo, é uma teoria da elite venezuelana sobre a formação da identidade venezuelana, do tornar-se venezuelano. De alguma forma, essa tensão se reproduz, em solo brasileiro, no escasso território ao lado da Rodoviária de Manaus onde vivem cerca de trezentas pessoas. O conflito entre indígenas e não indígenas que ocorreu naquela tarde remete a um conflito por territórios formador da nação venezuelana, similar a tantos outros países latino-americanos.

A situação é de precariedade extrema no acampamento, e as condições básicas de higiene para dezenas de famílias que compartilham o parco espaço são praticamente inexistentes. Com a temporada de chuvas amazônicas, uma parte considerável do dia gira ao redor de tentar manter a si mesmos, e ao pouco que possuem, secos. Muitos, que trabalhavam ao ar livre, têm dificuldades de se manter no período de chuva. Tuberculose e pneumonia estão entre as principais enfermidades que acometem os imigrantes venezuelanos no Brasil.

A cozinha é feita de modo coletivo, com fogões a lenha improvisados, ou com fogões maiores, doados por igrejas evangélicas. Frangos congelados em processo de degelo dividem espaço com panelas de macaxeira junto ao chão, por onde passam os transeuntes e brincam as crianças. O encarregado da cobrança do banheiro da rodoviária, cuja entrada custa um real, conta: "Quando não tem como pagar, eu deixo entrar. Fazer o quê?".

A experiência do exílio é marcada por uma perda de referencial, por uma grande dificuldade de mover-se, de entender e atribuir algum tipo de sentido ao que acontece com a vida de cada um. Perda de referencial é uma expressão talvez muito elegante para "confusão". Um outro idioma, um outro território, um outro sistema burocrático com o qual lidar. Para os indígenas Warao, exímios pescadores da região em que o rio Orinoco se encontra com o oceano Atlântico, como pescar em rios amazônicos? Para eles, que com dificuldade se comunicam em espanhol, como saber quais os locais onde estão os peixes, as correntezas, as formas de circulação de barcos ao redor de uma metrópole como Manaus?

A confusão é generalizada. Entender a burocracia do Estado brasileiro impõe um desafio a todos. Decifra-me ou devoro-te. Muitos acabam devorados. Logo na chegada à Pacaraima, na fronteira de Roraima com a Venezuela, são recebidos pelo governo brasileiro e com assistência da ACNUR, agência da ONU para refugiados. De lá, dão entrada na documentação e pedido de refúgio, podem tirar CPF e carteira de vacinação e de trabalho. Entretanto, cada um desses trâmites possui a sua própria dinâmica complexa de formulários, pagamentos, envios por correio, solicitações e necessidade de internet. Com a frequente queda do sistema de cadastro do governo em Pacaraima, filas e atrasos, "as pessoas se incomodam, e tendem a ir à cidade que querem chegar sem levar a documentação", afirma Aníbal. Para ele, Brasil é um país rico, grande produtor de grãos e alimentos, mas que "não estava preparado para receber esse fluxo de pessoas".

Os Warao foram os primeiros moradores do acampamento no entorno do Terminal Rodoviário Internacional de Manaus, no início de 2017, quando a migração para a capital amazonense se intensificou (os primeiros grupos chegaram no final de 2016). Foram retirados do local e levados a abrigos em galpões e casas. Mas estão constantemente voltando ao Delta do Orinoco para levar comida e remédios aos parentes que ficaram no país vizinho. O dinheiro é conseguido com doações e venda artesanatos. No trajeto, em Roraima, muitos desses venezuelanos foram deportados pela Polícia Federal entre 2014 e 2016, o que provocou uma reação de organizações de direitos humanos. Hoje, muitos deles se encontram em cidades como Santarém e Belém, no Pará.

No acampamento ao redor do viaduto, o discurso predominante gira em torno da busca de empregos, das dificuldades de encontrar algum ganha-pão. Na Venezuela, Aníbal trabalhava como comerciante autônomo no meio alimentício. Foi à falência com a inflação, pois já não tinha referenciais para realizar compras e vendas. "Antes o preço era ajustado diariamente. Depois, por período do dia".

"Por não encontrar trabalho, não temos como pagar um lugar para alugar. Por isso viemos para rodoviária, para baixo do viaduto. Para sobreviver", continua Aníbal. Ele se queixa com contundência do que considera um jogo de interesses ao redor dos imigrantes: "Nós somos um capital nas mãos de organizações internacionais, como Cáritas e ACNUR. Cada venezuelano a mais significa mais dinheiro no orçamento deles", afirma Aníbal, que junto a outros venezuelanos, está construindo um centro de recebimento aos imigrantes, no gramado ao lado da rodoviária e cuja proposta é ser gerido pelos próprios imigrantes.

"O amor que tem os brasileiros pelos venezuelanos... a atenção que tem os brasileiros pelos venezuelanos: nos receberam com uma hospitalidade grande. Nos sustentamos graças a tudo isso", declara Aníbal Gutierrez. Enquanto ele agradece a hospitalidade brasileira, meu pensamento vai longe, revisitando tudo o que presenciei naquela tarde. Penso, especialmente, no que poderia dizer Aníbal e seus colegas de acampamento se o governo brasileiro de fato tivesse organizado uma operação de acolhida digna de seres humanos.

Indígenas Warao e venezuelanos não indígenas discordam sobre o que teria originado o conflito naquela tarde de segunda-feira. Para o cacique Warao Ravel Ribero, "estavam roubando dinheiro da mão de uma menina [Warao]". Para Aníbal, um jovem "encontrou cinquenta reais no chão, e os indígenas disseram que o dinheiro era deles". Impossível saber a verdade, e nessa situação em que se encontram, talvez pouco importe. Warao e venezuelanos criollos vivem como podem, em meio ao descaso do governo brasileiro, que os recebe mal, do governo venezuelano, que nega a crise migratória, e das dificuldades do refúgio. São personagens de uma história que não gostariam de estar escrevendo: "Se na Venezuela não tivesse acontecido a crise, não estaríamos aqui. Na Venezuela, já estaríamos mortos", desabafa Ravel.

A autodemarcação da Terra Indígena Tupinambá no Baixo Tapajós

"Êee Fábio... imagina tudo isso aqui virar soja". Com um sorriso algo apreensivo e um olhar receoso, o comentário de Seu Braz, cacique dos Tupinambá no Baixo Tapajós, logo no primeiro dia de intensa caminhada na floresta, era um desabafo sincero acerca dos perigos que rondam a região. Os motivos que levaram o cacique, morador da aldeia de São Francisco localizada na Reserva Extrativista Tapajós-Arapiuns (Resex Tapajós-Arapiuns) em Santarém (Pará), a organizar a abertura de uma picada junto a outros guerreiros Tupinambá e demarcar, de maneira autônoma, o seu território milenar são diversos. De um lado, as ameaças crescentes com a expansão do agronegócio, as madeireiras e a mineração; de outro, a inação da Funai e do governo federal para proteger os direitos das populações indígenas.

Acompanhei durante dez dias a organização do movimento indígena na região e a saída para a floresta, que deu início ao processo de demarcação do território. Caminhamos cerca de 40 quilômetros mata adentro, ao longo de cinco dias, abrindo uma picada que em sua largura raramente excedia os dois metros. Embora tenham sido preciosas as entrevistas formais realizadas com os guerreiros Tupinambá, como assim se denominam, foi no dia a dia da caminhada, compartilhando esforços e dificuldades que a mata impõe, que fui me dando conta, aos poucos, da dimensão da luta política ali travada.

Criada entre o final dos anos 1990 e início dos anos 2000, a Resex (com mais de 677 mil hectares) passou a incluir uma série de territórios indígenas cujos povos estavam em intensa luta pelos seus direitos. Tal processo ficou conhecido por ser uma reorganização do movimento indígena na região, que inclusive lutou pela própria constituição da Resex como forma de defender seus territórios e modos de vida. Quase vinte anos depois, entretanto, a realidade local, marcada pelo fortalecimento do movimento indígena e pela recusa das insistentes e violentas propostas de uso extrativista da terra, algumas mediadas pelo ICMBio (Instituto Chico Mendes de Conservação da Biodiversidade), motivaram o início do embate pela delimitação de uma Terra Indígena única no local onde hoje se encontra a Resex.

Ameaças para a região e para a população que ali vive estão profundamente marcadas nas histórias das pessoas que compartilham esse território. Muitos daqueles que subiam a mata para proteger seu território um dia trabalharam para a madeireira Santa Isabel, que foi de lá expulsa com o estabelecimento da Resex Tapajós-Arapiuns. Segundo comentaram, a empresa queria desmatar tudo e preparar um grande descampado para a soja: retirava ipês e mandioqueiras de forma ilegal e vendia para a Europa com um selo verde de sustentabilidade. Para Seu Ezeriel, esposo da cacica Estevina, da Aldeia do Castanhal da Cabeceira do Amorim (o casal, seus filhos e parentes estão entre os maiores incentivadores da autodemarcação), os pastos e descampados que vira no Amapá, quando de uma viagem há alguns anos, era o futuro que aguardava a terra onde nasceu, não fosse a implementação da Resex e expulsão da madeireira.

A realidade nestes quase vinte anos de Resex apresentou outras ameaças aos indígenas e ribeirinhos da região. O ICMBio vem promovendo diversos projetos que colocam em perigo os modos de vida dessa população, em que predomina uma relação íntima com a floresta que lhes pertence, tanto no que diz respeito à abundância da pesca e caça, como na captação de água e sistemas de cura a partir de conhecimentos imemoráveis da mata. Recentemente, diversas aldeias e comunidades ribeirinhas se reuniram para debater e barrar duas propostas inter-relacionadas: a de financeirizar a floresta pela implementação de um projeto de crédito de carbono em que a Finlândia compraria a floresta, e outra do plano de manejo e extração de madeira.

Tais propostas foram rechaçadas pelos indígenas. Eles questionaram a instauração de um projeto de crédito de carbono na Resex, que acarretaria custos ao cortarem uma árvore para fazer uma canoa ou um roçado, invertendo a relação de posse e detenção do território, colocando-os em uma posição de desmatadores para manter seu modo de vida. Na prática, tal projeto limitaria o acesso dos povos da Resex aos recursos naturais necessários para a garantia do seu modo de vida. Em uma forte mobilização, os indígenas ocuparam a sede do ICMBio em Santarém e conseguiram a suspensão do projeto.

Alimentando-nos predominantemente à base de farinha de mandioca e caça da floresta, durante a caminhada e abertura da picada era constante a preocupação para a autodemarcação não "invadir" o território de outros povos indígenas. Muito embora tenha sido debatida em diversos momentos a criação de uma Terra Indígena única, a saída Tupinambá busca pressionar o governo e forçá-lo a reconhecer a área como terra indígena própria; assim incentivando outras aldeias a caminharem na mesma direção, fortalecendo a pauta de uma Terra Indígena unificada na atual área da Resex.

Antropólogos e estudiosos atentam para esse fenômeno social e político que é a rearticulação do movimento indígena na região do Baixo Tapajós e rio Arapiuns. Seu Braz é categórico ao recusar o termo índios emergentes: "Sempre fomos índios". Depoimentos como o de Dona Nazaré, senhora de 87 anos que sempre viveu na Cabeceira do Amorim e mãe da cacica Estevina, apontam para os processos violentos de colonização e apagamento identitário pelo qual passaram. Tal como sua filha, estabelece uma conexão dinâmica entre os índios do passado, as violências pelas quais passaram, e o futuro indígena depositado nas lutas políticas atuais e na demanda de uma educação específica para retomar tradições para os jovens.

Não obstante, muitos políticos, empresários e parte do poder judicial insistem em afirmar que na região não existem mais índios, como se a identidade cultural e os modos de vida fossem passíveis de serem apagados pela violência colonial, como se não encontrassem formas de se reinventar como potência crítica aos processos que lhes são impostos. A proposta de uma Terra Indígena única na Resex, respeitando os outros moradores da região é uma das principais pautas a serem debatidas ao longo deste ano pelo movimento. Uma das questões cruciais é a da negociação com os outros moradores das comunidades e das aldeias, e que não se consideram indígenas. Para os Tupinambá, entretanto, a luta em defesa do território é por todos, pois se a mata for derrubada, ou se o mercado de crédito de carbono for instaurado, os efeitos negativos sobre a caça e a água atingirão a todos os moradores e não distinguirão indígenas de não indígenas. Assim, a autodemarcação está intimamente vinculada ao que muitos Tupinambá identificam como um modo de ser indígena, a uma recusa a determinado modo de vida em que o trabalho urbano e a venda e compra de mercadorias têm centralidade. Trata-se de uma organização política de resistência, diante de uma situação de guerra tornada norma.

Meu envolvimento pessoal para acompanhar o início da autodemarcação foi demandado pelos próprios indígenas: fiquei encarregado de ajudar com o GPS a marcar os pontos do território Tupinambá e auxiliar a guiar a caminhada na mata fechada. Conhecedores profundos da floresta e capazes de se guiarem pelo movimento das nuvens, os guerreiros Tupinambá logo tornaram evidente que o GPS ali era uma ferramenta secundária na caminhada – e eu e Dani (desenhista que também acompanhou a autodemarcação, realizando oficinas com as crianças e desenhos) mais precisávamos de ajuda do que de fato conseguíamos ajudar.

A relação com a terra e o modo de vida a ser protegido são os elementos que mais chamam a atenção nesse embate político. Fundamentais na cosmologia indígena, os Encantados e Protetores das Águas e das Matas parecem tomar parte na luta contra as novas formas de exploração de seus territórios. A Mãe D'água, a Mãe da Mata e as visagens são constitutivas da apreensão do mundo ao seu redor e do próprio conflito político na região. Histórias como aquela contada por Seu Edno na noite de contação de casos anterior à subida para a autodemarcação, de um homem que maltratava animais e, em um sonho, viu-se transfigurado em um porco do mato sendo ele mesmo caçado pode ser considerada uma perfeita variação dos mitos ameríndios. É marcante a crença em um lago no qual os antigos iam pescar e partiam apenas com uma banda de peixe-boi, deixando a outra metade para os Seres Encantados. Tal lago teria desaparecido, e estaria para ressurgir e liberar outras forças. Esse mesmo lago, segundo alguns, teria ajudado a confundir os aparelhos de medição das reservas de petróleo pela Petrobras.

A autodemarcação é a luta pelo território, para geri-lo de acordo com suas própria regras e demandas; por uma forma de vida específica, em que a sua relação com a floresta e os Encantados é fundamental, e contrária às imposições de modos de vida, marcados pela maior centralidade do comércio e de trocas monetárias. Seu Ezeriel, logo após comentar sobre seu receio de que o futuro de seu território fosse igual àquela terra sem mata que formam os descampados que viu no Amapá, contou uma piada significativa – com a qual termino este texto:

"O doutor estava em um barco e perguntou para o caboclo, que remava:

— Você sabe ler, caboclo?

— Não...

— Então você perdeu metade da sua vida – disse o doutor.

Depois de duas remadas, o caboclo pergunta:

— Doutor, o senhor sabe nadar?

— Não!

— Então você perdeu toda a sua vida – disse o caboclo".

PÓLVORA

Organizando o meu regresso para uma aldeia Tupinambá no Pará, pediram que eu comprasse uma lona, mantimentos e munição para espingarda. Estávamos nos preparando para passar uma semana dentro da floresta.

Tenho muita pouca, para não dizer nenhuma, destreza ou sequer conhecimento de armas de fogo. Meu momento de maior intimidade foi quando passei uma espingarda da mão de um caçador para outro, dentro da floresta, na calada da noite e com medo de que a arma pudesse disparar sozinha.

Foi com receio que saí à procura de munição em Santarém. A indicação era que eu me concentrasse na orla do rio Tapajós, próximo ao Mercadão 2000.

Em cada loja que perguntava, para cada pessoa que pedia informações, recebia um rápido olhar desconfiado seguido de um não seco. Depois de três ou quatro tentativas, entendi que me tomavam por um policial. Provavelmente, com meus 1,90m e tanto de altura, e pelas roupas de esporte que usava, ninguém ali me via como um caçador sem a licença requerida.

Já estava prestes a desistir, desiludido e com receio de desapontar aqueles que me esperavam. Decidi ir na pior de todas as lojas: a mais desordena e suja que encontrei. Perguntei pela munição. O dono me olhou daquele mesmo jeito desconfiado com o qual fui até então encarado ao repetir a pergunta. Certo de que receberia um definitivo não que me levaria a abandonar de vez a empreitada, o homem me perguntou: "é para você?".

Foi a primeira vez que responderam a minha pergunta com outra. "Sim", balbuciei. "Para mim e para o pessoal com quem vou caçar", completei de pronto. "E você caça?". Senti que não tinha muito como prosseguir a conversa, sob aquele olhar inquisitório, e decidi ser o mais sincero possível: "acompanho os caçadores. Porque sou pesquisador". "De que, biologia?", questionou o vendedor, não mudando o seu modo de olhar. Finalmente a conversa estava mais favorável para o meu lado, mas também não me pareceu que seria o caso mentir: "estudo a relação das pessoas com a floresta", resumi.

Ele pareceu satisfeito. Eu também. Minha barba talvez tenha o dissuadido da ideia de que eu fosse um policial a paisana. Embora tenha tido a certeza de que não o convenci por completo. Ele mandou chamar um jovem ajudante para separar o chumbo. Assim, desocupado desta função, percebi que o vendedor manteve seu mesmo olhar sobre mim. Fiquei com receio de fazer qualquer movimento errado. Mexer no celular seria o pior de todos – ele provavelmente pensaria que eu estaria chamando alguém para detê-lo em flagrante ou então que tirava fotos e gravava a cena. Preferi me entreter, ou fingir entretenimento, observando as peças mecânicas de barcos e motores que ele vendia.

Estava um pouco aliviado, imaginando que a situação tinha terminado bem, quando ele recomeçou com perguntas: "qual calibre?" "quantas gramas de pólvora?". Não fazia ideia de como responder. Aceitei, feliz, as sugestões do vendedor, que imagino, a essa altura, já ter entendido que eu nunca tinha dado um tiro sequer na vida.

Lembrava vagamente que precisava comprar algo mais, além de pólvora e chumbo. Mas a palavra exata me escapava. Passada a prova de fogo, arrisquei: "e escopeta, vocês vendem?". "Não!", me respondeu o vendedor, naquele mesmo tom que escutara tantas outras vezes ao longo daquela manhã. Ele terminou a compra e me enxotou da loja.

Foi só chegando na aldeia, ao tentar explicar porque não havia conseguido comprar toda a encomenda, que entendi ter confundido escopeta, uma arma de fogo, com espoleta, espécie de recipiente que estrutura o cartucho e que deveria ter comprado para que as armas funcionassem.

Meus anfitriões Tupinambá passaram ao menos uma semana se divertindo, ao relembrar desta história.

CHUMBO

ESPOLETA

BUCHA

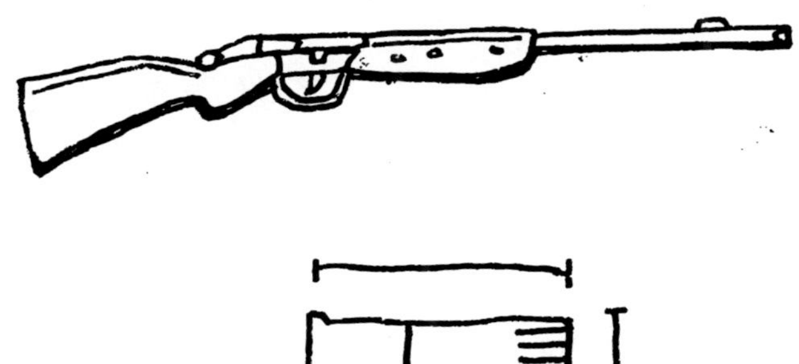

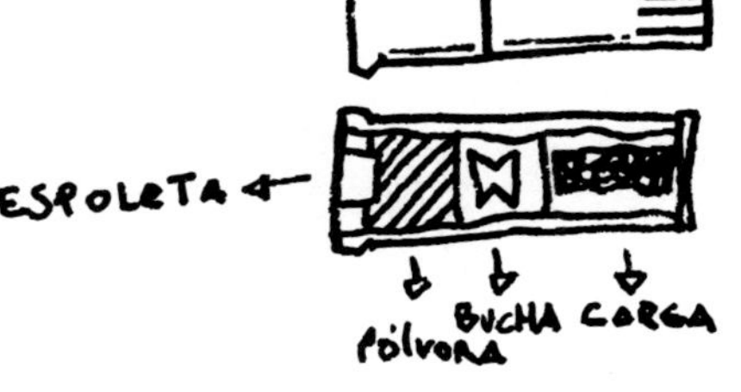

Anamã, metade do ano na água, outra metade na terra

O município de Anamã, entre os extremos das cheias e das secas do rio Solimões, já viu o cemitério mudar duas vezes de lugar e o hospital ficar submerso.

Em Anamã, os problemas começam e terminam com a água. A cidade está localizada na confluência dos rios Purus e Solimões, no interior do Amazonas – tornando-os extremamente fartos em peixes e fertilizando as terras para as pequenas produções agrícolas. As enchentes, que chegam a durar mais de cinco meses, obrigam a população a adaptar toda a arquitetura da cidade e os seus hábitos. Na seca, a água fica lodosa, os peixes morrem e o acesso ao lago grande e às comunidades rurais se torna impossível. Em qualquer época, a água de consumo humano é de baixíssima qualidade: barrenta, ferrosa e malcheirosa. Nesse município, o aquecimento global não é uma hipótese longínqua, cujos efeitos serão sentidos em um futuro distante, mas uma realidade cotidiana.

A partir de meados de dezembro, com o aumento das chuvas que eleva os rios Purus e Solimões, Anamã vai para debaixo d'água. A enchente pode durar até o mês de junho. Por não ter sistema de esgoto, conforme a água vai subindo, as fossas caseiras começam a vazar. Por estar em uma região de várzea de rio, o solo é barrento e, portanto, incapaz de reter fluxos de água. Aumentam as picadas de cobras e escorpiões, já que os animais acabam buscando as casas flutuantes como refúgio. Jacarés invadem os quintais.

É nessa época que ocorrem surtos de diarreia, micoses, hepatite A e B. As pessoas caminham pelas ruas ainda pouco alagadas, porém com água suja e contaminada pelos coliformes fecais das fossas sanitárias. Uma água pesada e que se move lentamente.

Conforme as águas vão subindo, aumenta a vazão do rio, dejetos humanos e outros tipos de lixos são arrastados pela correnteza. A força da água só não é maior pois os flutuantes à beira do paraná (braço de um rio) funcionam como uma peneira, diminuindo a vazão e impedindo que entrem grandes troncos na cidade, que neles ficam retidos. Todos os carros precisam ser levados de balsa para a vizinha cidade de Manacapuru (a distância é de 90 quilômetros) e a locomoção pela cidade passa a ser feita exclusivamente por canoas e rabetas. O transporte para a escola, o policiamento, a remoção de lixo, as compras e idas à igreja, o encontro nos botecos próximos à praça principal, todas as dimensões da vida e da morte, na água e em canoas.

Os moto-táxis param de funcionar – ainda não desenvolveram um sistema de canoa-táxi – e seus condutores têm de se dedicar a outras atividades, como pesca ou auxiliares de descarregamento no porto. Essa atividade se torna menos penosa já que, com as águas elevadas, não é mais necessário subir e descer a rampa de difícil acesso ao terminal fluvial. Para alguns, nas cheias há mais peixe, embora outros pescadores não sintam que isso seja exatamente verdadeiro. O comércio cai, e toda a produção agrícola de macaxeira, cará, banana e melancia da área rural do município, usualmente comercializada em Anamã e em Manaus, se perde.

Períodos de cheia e de seca são constitutivos do ciclo hidrológico da bacia amazônica. Mas, desde 2009, as águas em Anamã sobem acima do que costumavam subir. Geralmente, afirmam os moradores, as enchentes acontecem a cada dois anos, e bateram o recorde em 2015. Construído na beira do paraná, o Hospital Francisco Salles de Moura, de Anamã, é anualmente renovado: "Entra ano, sai ano, tudo isso aqui vai para baixo d'água", afirma Dager Dourado, clínico geral que vive entre Anamã e Manaus. Para o médico, as cheias afetam o trabalho de atendimento à população e a rotina do hospital.

Durante as cheias, o hospital é transferido para um flutuante. Apesar da maleabilidade, a estrutura do hospital é, ano a ano, fragilizada. Algumas máquinas são fixadas no chão e não podem ser transferidas, passando cerca de dois meses submersas. As paredes apresentam rachaduras estruturais. “O hospital sofre isso desde 2012. Na época da construção, fez-se um estudo histórico. Não tinham essas enchentes”, garante o médico Dager. Os gastos com reformas no edifício pós-cheia são enormes.

A Escola Estadual Tancredo Neves, que também fica no beira-rio, foi totalmente reconstruída e “levantada” para aguentar as cheias. Luzinei Seixas de Oliveira, o vigia do edifício, conta que “essa escola era no térreo, junto com a rua. Qualquer enchente que tinha ela estava na água. A maior dificuldade é o material que perde”.

É através da arquitetura da cidade que podemos ver a forma pela qual as pessoas estão adaptando suas vidas. Quando aconteceram as primeiras cheias, em 2005, ainda sem a intensidade daquela de 2009, os moradores começaram a construir, às pressas, marombas, criando andares intermediários, mezaninos, em suas próprias casas e negócios. Como o fenômeno se repetia nos anos seguintes, muitos decidiram suspender as suas casas, fato que gera uma curiosa arquitetura em Anamã, com escadas elevadíssimas durante o período de seca. Outros, com mais determinação, decidiram transformar suas casas em flutuantes.

Francisco Nunes Bastos (PMN) é o prefeito da cidade. Conhecido pelo apelido de Chico do Belo, ele conta que houve até um movimento para mudar a cidade de lugar; tirá-la da região de várzea para a de terra firme, na região de Arixi, junto ao lago grande de Anamã.

Entretanto, a população não aderiu ao plano, já que durante a seca o acesso a Arixi fica praticamente impossível. Com receio de criar uma Anamã fantasma, que nunca seria habitada, a prefeitura abandonou o plano.

Cheias e secas maiores

Nos últimos dez anos, foram registradas seis cheias extremas da região amazônica – três das cinco maiores enchentes desde que se iniciaram as medições no Porto de Manaus, em 1903, ocorreram a partir de 2009. Verifica-se também, nos últimos anos, o aumento da amplitude entre nível de águas durante as duas fases, ou seja: as cheias são cada vez mais cheias, e as secas cada vez mais secas. É no aquecimento das águas superficiais do oceano Atlântico, decorrentes do aumento da temperatura global, que cientistas buscam as possíveis causas para essa talvez irreversível mudança no ecossistema da Amazônia.

"Com uma terra mais quente, mais água evapora no oceano, e mais chuvas na Amazônia", resume Marco Oliveira, geólogo e pesquisador do Serviço Geológico do Brasil (sigla CPRM), vinculado ao Ministério de Minas e Energia. Ele explica que, por conta da própria rotação da Terra, os ventos alísios sopram do Atlântico para a região da bacia amazônica, trazendo grande parte da umidade decorrente da evaporação das águas do oceano. Estas, por sua vez, são detidas pela cordilheira dos Andes, com seus seis mil metros de altura, e se precipitam na Amazônia.

A floresta amazônica não fabrica água, mas "a Amazônia recicla água", afirma Marco Oliveira. Isso tem uma função direta em todo o ecossistema sul-americano. Com a transpiração da floresta, massas de ar úmida se deslocam em direção ao centro-sul do Brasil e países vizinhos, provocando as chuvas nessas regiões. Esse complexo regime de chuvas, dependente das relações entre rotação da Terra, oceano, relevo e vegetação vem sofrendo mudanças provavelmente decorrentes do aumento da temperatura global e da ação do ser humano sobre a natureza. Chuvas mais intensas e cheias na Amazônia normalmente vêm acompanhadas por secas na região Sudeste. Não existe ainda um consenso entre os pesquisadores para explicar esse fenômeno, mas o geólogo levanta a hipótese de que o desmatamento do cerrado gera massas de ar quente e secas que impedem a transferência de umidade para o centro-sul do país.

O alemão Jochen Schongart é cientista florestal e pesquisador associado ao Instituto Nacional de Pesquisas da Amazônia (Inpa), na Coordenação de Pesquisas em Dinâmica Ambiental. Trabalha com a análise de anéis de crescimento das árvores para traçar a cronologia e a dinâmica dos ciclos hídricos da Amazônia. Ele chama a atenção para outros fatores que interferem na intensificação do ciclo hídrico da Amazônia, marcado pelo aumento na amplitude entre cheias e secas (média histórica de 10,2 metros), que ultrapassou 13 metros em vários anos durante as décadas recentes. Esse aumento de cheias é causado principalmente pelo aquecimento das águas superficiais do Atlântico Tropical, durante o período chuvoso, e simultaneamente esfriamento das águas superficiais do Pacífico Equatorial.

Oscilações de baixa frequência, como a Oscilação Multidecadal do Atlântico (OMA) e a Oscilação Decadal do Pacífico (ODP), que possuem ciclos de fases frias e quentes que duram de 65 a 80 anos e de 40 a 60 anos, respectivamente, têm forte influência no regime de chuvas. Atualmente, a fase quente da OMA favorece a ocorrência de secas severas na Amazônia, como nos anos de 2005 e 2010, e a fase fria da ODP resulta em um aumento da frequência e magnitude das cheias.

As alterações climáticas causadas pelos fenômenos conhecidos sob o nome de El Niño e La Niña também influenciam os regimes de chuvas e hídricos da Amazônia, explica Jochen. O El Niño decorre de um aquecimento incomum das águas frias do Pacífico, principalmente da costa litorânea do Peru, Equador e Chile. Esse aquecimento provoca chuvas inusuais na região, diminuindo o regime pluviométrico na Amazônia – e consequentemente aumentando as chuvas no sul e sudeste do Brasil. La Niña é o fenômeno inverso: as águas frias do Pacífico tornam-se ainda mais frias, causando mais chuvas na Amazônia – e consequentemente diminuindo as chuvas nas regiões Sul e Sudeste.

Para o pesquisador alemão, o aumento da frequência e da magnitude é inquietante. O ano de 2012 foi o recorde de cheia de Manaus desde que se iniciaram as medições: "Estamos falando da maior hidrobacia do mundo, quase 20% das águas doces do mundo. Então é algo para se preocupar", alerta Jochen, que também chama a atenção para as consequências que podem ter a construção de usinas hidrelétricas na alteração desses ciclos hídricos.

O pesquisador do Inpa lançou um estudo na revista Science Advances, publicado em 19 de setembro de 2018, com um grupo de pesquisadores de universidades da França, do Chile, do Reino Unido e do Peru, em que revela um aumento na frequência de cheias e secas severas nas últimas duas a três décadas, a partir do registro de 113 anos de medições.

Segundo o boletim do Inpa, "os resultados demonstraram que houve, na primeira parte do século XX, cheias severas com níveis de água que ultrapassaram 29 metros (valor de referência para acionar o estado de emergência na cidade de Manaus) aproximadamente a cada vinte anos. Atualmente, cheias extremas ocorrem na média a cada quatro anos". Ou seja, um aumento de cinco vezes na frequência das enchentes em cem anos.

A mortandade dos peixes

Durante as secas, período entre os meses de julho a novembro no rio Solimões, os fenômenos visíveis e sentidos pela população amazônica podem ser mais sutis. Mas por haver menos água como um todo, existe uma maior concentração de coliformes fecais nas águas utilizadas diariamente. Ou seja, elas podem estar mais contaminadas.

Outro fenômeno, que foi presenciado diretamente nesta reportagem, é a alta mortandade de peixes no curso d'água que liga a cidade ao lago grande de Anamã durante a seca – centenas de milhares de peixes mortos que deixavam a água fétida. De acordo com o presidente da Associação Bolonha de Pescadores de Anamã, Jânio dos Santos Menezes, "todo ano a água preta vem do lago para o Solimões", causando a morte de milhares de peixes por asfixia, já que a "água vira", tornando-se barrenta. "Esse ano", continua o pescador, "como deu uma chuva forte, a água veio também do Solimões".

Como os peixes começam a morrer asfixiados, fica mais fácil para pescá-los. Em dois dias, Jânio estima que foram pescadas quinze toneladas de peixe – uma única canoa de duas pessoas chegou a pescar 800 quilos de peixe. "Todo ano acontece, desde muito tempo, mas normalmente eles vão sendo empurrados para o Solimões. Hoje eles ficaram encurralados no paraná", conclui Jânio.

Especialistas julgam difícil de concluir a relação entre esse fenômeno e a mudança nos regimes hidrológicos, embora esse ano a chuva fora de época tenha causado efeitos imprevisíveis para os pescadores. Os lagos costumam ficar um nível acima dos rios, e conforme as águas baixam, trazem consigo parte do fundo lodoso.

"O barro pode causar a morte de peixes por asfixia, por tapar as guelras ou por um efeito cadeia, produtores primários morrem em massa por falta de luz e o apodrecimento deles retira o oxigênio da água", afirma Cássio Edelstein, oceanógrafo e permacultor. Outra possibilidade é de a água do lago normalmente ter menos concentração de oxigênio do que a do rio, ou seja, "anóxica por natureza", e "quando a água do lago vai pro rio, elas se misturam, e a concentração de oxigênio se torna proporcionalmente menor", afirma Cássio.

Para Giovani Cavalcanti Marinho, do Instituto Mamirauá e técnico em manejo de pesca, trata-se de um "fenômeno natural que acontece todo ano, em quase todos os ambientes de várzea, conhecido também como quebra d'água". Segundo Giovanni, isso acontece quando "material orgânico em decomposição desce do lago e consome o oxigênio da água".

A água que não é de beber

"Todo mundo que chega aqui de fora adoece", conta a enfermeira Fabrícia Nunes Batalha. Na cheia ou na seca, a qualidade da água em Anamã é péssima, alvo de reclamações constantes por parte dos moradores. "De manhã, a água é podre, podre, podre. A água fede e vem toda cheia de ferrugem", reclama Nadione Correia Batalha. "A pior coisa da cidade é a água."

Em Anamã, quem pode, compra água mineral para beber, cozinhar e até tomar banho. Quem não tem os recursos para isso, vai periodicamente às duas principais fontes existentes na cidade: uma dentro da Escola Estadual Tancredo Neves e outra no balneário, nas imediações do bairro Esmeralda Moura, o mais atingido pelas cheias.

O agricultor Luiz Ribeiro dos Santos conta que é do poço que retira a água para viver. "Esse poço é uma bênção que joga água para a cidade todinha. Se não fosse ele, era difícil conseguir água boa. Porque essa encanada vem toda enferrujada".

Muitos, além de só usarem as águas do poço, ainda colocam gotas de cloro, já que mesmo essas águas são contaminadas pelas fossas sanitárias. "A água melhor para a gente tomar aqui, nem ela serve", afirma Manoel Alves, também agricultor. Durante a cheia, a prefeitura coloca uma extensão de mangueira das torneiras para que a população possa vir pegar água "boa".

"Aqui é várzea; o rio e os solos estão em formação. A cidade pode ser toda destruída pelos solos instáveis", retoma o médico Dager Dourado.

Para Marco Oliveira a situação das águas pode ser explicada pela própria geologia do rio Solimões, que é necessariamente baixo, por conta da altura elevada que atingiu a Cordilheira dos Andes. "Há um grande depósito de argila na bacia do Solimões e argila não retém água", afirma Marco. Para o especialista, não adianta realizar furos superficiais, pois estes permanecem na região de água barrenta. São necessários poços profundos, com cerca de um quilômetro de profundidade, que acessem as limpas águas do aquífero Alter do Chão, existente no subsolo de grande parte do Amapá, Pará e Amazonas.

Luizinho Lelis de Chagas, autônomo, que trabalha em Anamã fazendo transporte de mercadorias no porto, comenta que "a cidade está alagada, inundada, mas não para". "Aqui são seis meses na terra, seis meses com água", afirma um sargento da Polícia Militar da cidade que pediu para não ser identificado. "A cidade continua a sua rotina na água", segue o sargento, que conta do caso de um conhecido que morreu durante o período da cheia, e teve de ser enterrado em Manacapuru. Quanto mais cavavam no cemitério de Anamã, mais água aparecia. O cemitério da cidade já mudou de lugar duas vezes, e tende a mudar uma terceira.

Marco Oliveira chama a atenção para o fato de Anamã ser a única cidade onde, em tempo de enchente, a Defesa Civil não interfere construindo pontes, pois a cidade já se adaptou. O pesquisador elogia a capacidade adaptativa de Anamã frente às adversidades, mas afirma que muito ainda tem de ser feito, especificamente em termos de saneamento básico e fossas isoladas, e na adaptação dos edifícios públicos, como o hospital.

Nada parece indicar aos pesquisadores que essa seja uma situação reversível ou mesmo temporária. A hipótese com a qual trabalham é a de que o nível de chuvas na Amazônia tende a se intensificar. Mudanças climáticas em nível global afetam diariamente a população de pequenas cidades no coração da Amazônia, e a previsão, segundo Marco Oliveira, é que passem a existir cada vez mais "Anamãs".

Fiz a cobertura do Acampamento Terra Livre (ATL) em duas ocasiões, 2018 e 2019.

É sempre algo exaustivo e ao mesmo tempo emocionante. Subir e descer a Esplanada dos Ministérios. Ingressar no Congresso junto a centenas de indígenas com os rostos pintados, saiotes, descalços e de torso exposto. Entrar na fonte do Ministério da Justiça em busca da melhor foto dos indígenas se banhando. Ficar de olho no movimento dos policiais, receando um ataque da Tropa de Choque ou da cavalaria, ao lado de famílias indígenas de todos os cantos do país.

O olhar de ódio e desdém dos policiais não deixa dúvidas quanto a mensagem que querem transmitir: ali os indígenas não são bem vindos. Os ministros que deveriam atender aos indígenas usam uma estratégia diferentes, embora compartilhem o mesmo objetivo. Ignoram a presença dos demandantes. Simplesmente não os recebem. Sempre as mesmas desculpas: dizem estarem sem agenda, ou fora do país.

Em Involuntários da Pátria, aula pública apresentada no centro do Rio de Janeiro que depois circulou amplamente como publicação, Eduardo Viveiros de Castro se refere ao acampamento indígena:

> *"E invadem, e reinvadem, e ocupam, a Praça dos Três Poderes em Brasília. Nada mais justo que os invadidos invadam o quartel-general dos*

invasores. Operação de guerrilha simbólica, sem dúvida, incomensurável à guerra massiva real (mas também simbólica) que lhes movem os invasores".

Em 2019, tentei acompanhar uma das sessões da Câmara dos Deputados. Tudo parecia então ter mudado. O governo Bolsonaro exibia com orgulho medidas e falas explicitamente anti-indígena. Genocidas. Não havia mais espaço para o ódio velado. Quaquer tipo de decoro, por mais cínico que fosse, foi destruído. O buraco do ralo foi aberto no dia em que Bolsonaro, ainda Deputado Federal, durante a votação do impeachment de Dilma, elogiou em plenário o torturador de Dilma. A partir deste momento, em que um representante de Estado homenageia um criminoso de Estado, tudo estava valendo. O frágil dique ético que impunha algum tipo de respeitabilidade ao outro fora esfacelado. Andando pelos corredores de câmara, me vinha em mente que o governo Bolsonaro tinha algo de pornográfico: tudo fora tornado explícito. E para surpresa de boa parte daqueles que acreditavam nos avanços civilizatórios e da cultura, este "vale tudo", essa lógica do "pronto falei", atraía adeptos.

Tudo mudara também pois os indígenas tinham uma congressista deles, uma mulher indígena, Joenia Wapichana, a primeira da história do Brasil. E isso também mudava tudo. Dava uma esperança. Uma voz no meio da barbárie.

Infelizmente, não consegui entrar na sessão. Acredito que nela se debatia a presença da demarcação de terras indígenas no Ministério da Justiça. Não lembro ao certo. Fiquei do lado de fora, junto com centenas de indígenas e simpatizantes. Todos paramentados.

Parei um minuto para ir ao banheiro. Lá dentro, indígenas Pataxós do sul da Bahia faziam xixi no urinol, apenas abaixando seus saiotes. A cena era inusitada para o homem responsável pela limpeza do banheiro, acostumado a homens engravatados e de paletó. Gago, ele perguntava quem eram os indígenas, de onde vinham, e o que reivindicavam. Eles lhe respondiam, um pouco a contragosto, em voz baixa, desconfiados, enquanto arrumavam seus saiotes para sair.

O faxineiro não se conteve diante das palavras pouco amistosas dos Pataxós. "É por questão de te-te-te-terra que estão aqui, é? Tem que ocupar mesmo... branco é tudo safado!".

Campos de veneno

Nos inícios dos anos 2000 o terreno ao lado da casa de Seu Macaxeira foi comprado por um sulista recém-chegado. De início, Seu Macaxeira ficou feliz com a chegada do novo vizinho. Era simpático e dizia que vinha trabalhar a terra. Ao se apresentar, falou que queria mesmo vir para um lugar tranquilo, que lá no Sul tinha tido muito atrito com os vizinhos. Deu a impressão de que veio para se estabelecer. Seu Macaxeira havia se mudado em meados de 1999 para a comunidade de Santos da Boa Fé, próximo à rodovia Curuá-Una, em Santarém (oeste do Pará). Estava contente com a sua produção. Ali plantava mamão, cupuaçu, graviola, batata, maracujá e macaxeira – tanta que lhe rendeu o apelido que leva até hoje, aos 64 anos. Todos chamam Antônio Alves assim: Seu Macaxeira. Com seu plantio, sustentava quatro filhos. Sem veneno. Naquele momento, virada do milênio, a soja sequer figurava em seu horizonte.

"Foi um vizinho muito bom, só que aí ele começou a comprar terras", relembra Macaxeira. Primeiro ele comprou uma terra dos fundos. Depois comprou a da direita. Já em 2002, começou a derrubar o mato que havia ao redor. Ele prometia àqueles de quem comprava terrenos que geraria emprego na região. Pouco a pouco, Macaxeira se viu cercado. A tranquilidade prometida não vingou. Os empregos, tampouco. Quando muito na fase de derrubada da mata. Nessa época, era o barulho que mais transtornos trazia. Em seguida, a soja. "Aí comecei a passar muito atrito", relembra.

Seu Macaxeira observava a reação em seus filhos da aplicação do veneno, "irritava os olhos, irritava a garganta. Era febre diária, era dor na cabeça". O uso de agrotóxicos pelo vizinho começou a dificultar sua própria atividade profissional. "Eu que vivia da agricultura familiar, mais da colheita do mamão, da macaxeira, começou a não dar mais. O veneno não deixou." As plantas passaram a não dar frutos. Ou, quando davam, já não eram frutos tão saudáveis como antes. As folhas murchavam antes de florescer. A saúde e o sustento de sua família estavam ameaçados.

Uma tarde de 2007, no início do verão amazônico, Macaxeira viu mais uma vez o vizinho iniciando a aplicação do veneno. Eram seis horas da tarde e as crianças estavam em casa. Preocupado, foi conversar sobre a situação com ele:

— Eu embarguei. Disse que ele não colocasse mais veneno, senão eu ia dar parte dele [junto à polícia] – relembra o agricultor.

Alguns dias depois, o vizinho veio lhe fazer uma visita, também no fim da tarde. Pediu licença, e disse:

— Seu Antônio, hoje eu vim para fazer dois negócios: ou o senhor compra a minha área ou eu compro a sua.

Sitiado por um terreno maior que o seu, ambientalmente degradado pela derrubada da floresta e pelo acúmulo de veneno, e com suas economias debilitadas pela atividade do vizinho, Macaxeira não tinha como comprar a área. "Nós não tivemos mais como ficar no terreno na época que eu morava. Ninguém mais conseguiu sobreviver respirando soja, com aquele veneno. E eu fui obrigado a vender."

Macaxeira se mudou para outro local da mesma Santos da Boa Fé, o ramal do Jacaré, onde fizemos esta entrevista. A partir de 2005, a soja tomou conta da comunidade e de outras tantas na região conhecida como Planalto Santareno, composta pelos municípios de Santarém, Belterra e Mojuí dos Campos. "O veneno obriga a pessoa a entregar o seu lote. Não é mais o preço", resume.

Comunidade de Boa Esperança

"Há anos as araras e os macacos vinham aqui comer as frutinhas das árvores. Vinham na porta de casa. De repente, desapareceram", comenta, com carinho, Sônia Maria Guimarães Sena da comunidade de Boa Esperança. Vive junto com seu pai, Raimundo Alves Guimarães, o Seu Curica. O quintal das duas casas termina onde se inicia o campo de monocultura. Ambos estão cercados. A diferença entre os terrenos salta aos olhos: do lado de cá da cerca, nos arredores da casa, uma proliferação de espécies, como bananeiras, cajueiros, limoeiros, macaxeiras e outras tantas árvores frutíferas. Do outro lado, soja, milho e glifosato – o veneno utilizado para conter pragas.

— Algumas pessoas que tentaram resistir não conseguiram. Eles [os sojeiros] foram comprando aqui e ali, e aqueles que ficaram no meio foram obrigados a vender, porque não tem condições. O veneno mata tudo, leva tudo, o veneno sai fora pros sítio tudo. Por isso venderam tudo. Não tinham mais condições de plantar – relata seu Curica.

Ele mostra um cajueiro em seu quintal. "Dão tudo sementes. Floresce, mas não nasce". Com o avançar da idade, ele deixou de trabalhar na roça. O terreno em que trabalhava ficava próximo à Hidrelétrica de Curuá-Una. Hoje, aposentado, passa o dia tecendo malhadeiras para pesca. O trabalho é demorado, e cada rede é vendida por seiscentos reais.

Sua esposa faleceu em maio de 2019, alguns meses antes de nossa visita, em decorrência de um câncer de estômago. Maria Dercy Godinho é relembrada por sua família como uma lutadora. Pai e filha se emocionam ao falar dela. "Minha esposa, enquanto viva, lutou muito, para que não houvesse esse exagero de agrotóxico aqui. Mas não conseguiu." Caminhamos pelo cemitério onde está enterrada, a poucos metros da casa onde vivia.

O próprio cemitério encontra-se cercado pela vastidão plana e monocromática dos campos de grãos.

— Ela ficava agoniada com o cheiro forte que vinha. Sentia uma falta de ar, ficava sem poder respirar muito. Se trancava aí dentro. Deixava passar um pouco, para deixar sair. O problema dela era a falta de ar. Reclamava, vinha com o povo aí. Ver se eles não vendiam a terra. Trazer a gente do sindicato pra fazer palestra. Mas venderam mesmo. Não teve jeito. O dinheiro falou mais alto – reflete Curica, com o olhar perdido em algum lugar incerto.

Maria Dercy Godinho pertencia ao Sindicato dos Trabalhadores Rurais de Santarém, assim como Seu Macaxeira. Representando os pequenos trabalhadores rurais da região, o sindicato atua na linha de frente do embate contra os impactos da soja na região.

Um dos vizinhos de Curica se recusou a conceder uma entrevista. "Eu não quero confusão, como que vou falar mal do sojeiro se eles alugam minha terra? Consigo até um pouco de glifosato", disse. Gaúcho, alto, de olhos claros, passou a fazer contas sobre a dificuldade de dar continuidade aos negócios a que antes se dedicava, na produção farinha. Queria demonstrar, matematicamente, que o mais lucrativo e lógico para o pequeno proprietário rural é alugar sua terra para os sojeiros. A saca de farinha de mandioca, segundo ele, chega a ser vendida por oitenra reais no Mercado de Santarém. Com vinte reais de frete que precisa pagar para percorrer os mais de 40 quilômetros que separam Boa Esperança do centro da cidade, "não dá para nada", em suas próprias palavras. Em compensação, alugando o terreno para produção de soja, obtém um rendimento fixo, independente da produtividade. "Se tivesse cem hectares", refletia em voz alta, enquanto fazia contas, "arrendava setenta para a produção de soja e vivia de renda."

Com Seu Macaxeira, percorremos o Ramal da Moça, onde existia uma comunidade com o mesmo nome. "Desde 2005 que a porrada vem correndo solta em cima dos moradores", contou, enquanto nos aproximávamos do local. Ele ansiava em nos mostrar resquícios da comunidade, casas abandonadas de moradores que tudo venderam para ir para a cidade. Para a sua surpresa, até as casas foram derrubadas. Ali, antes, viviam 75 famílias. Agora, só soja. Pudemos observar apenas um colégio e duas casas, já tomados pela vegetação rasteira, que subia pelas paredes e começava a embrulhar as construções, como um manto verde. Logo, elas também serão derrubadas.

A soja promove uma mudança nas relações entre pessoas e a terra em que vivem. Impõe uma espécie de separação e de afastamento, que implica em abandono das comunidades e ida para cidade. A monocultura de grãos parece não deixar brechas. Alterou definitivamente a paisagem, a vida e as relações sociais no Planalto Santareno.

Seu Curica lamenta: "aqui não tem esperança de ter um progresso melhor, porque aqui parou tudo. Não tem como aumentar, progredir". Aquilo que os sojeiros chamam de desenvolvimento, para pequenos agricultores se apresenta como ruína. Existe uma sensação geral de desânimo e resignação no ar, que contrasta com o nome da comunidade: Boa Esperança. Localidade para onde muitos vieram quando se começou a abrir a mata, nos primeiros anos da década de 1930. Ali imaginava-se um futuro promissor, com a extração de pau-rosa, para produção de perfume. Poucos anos depois, o nome parecia ter alguma aderência ao que se vivia. A comunidade se tornou um importante polo produtor de farinha para Santarém. "Tinha emprego demais aqui. Você não ia lá procurar serviço, eles que vinham atrás de você", alude Curica, referindo-se a um passado distante, em nada presente na comunidade hoje. "Aí com a chegada da soja, o pessoal foi vendendo as terras, e foi acabando o emprego".

Lago do Maíca

Ciro de Souza Brito é advogado e trabalha na Terra de Direitos, ONG que presta assessoria jurídica para comunidades rurais e quilombolas afetados pela soja na região do Planalto Santareno. "A soja não vem sozinha, como *commodity*. Ela traz diversos problemas. Ela vai desterritorializar, adoecer, criminalizar, ela vai marginalizar".

O advogado articula rapidamente suas ideias, encadeado-as com clareza e explicitando a gravidade da situação vivida na região. Ele analisa a expansão da cadeia da soja na região a partir dos impactos em quem vive próximo à terra:

— Ao passo que a soja expande, ela desterritorializa as comunidades e aumenta a necessidade de escoar a soja que se está plantando. E por onde vai sair? Aqui entra a questão do lago do Maicá. As comunidades entendem que é um criadouro de peixes, inclusive nas palavras do Dileudo, e os estudos apontam que é um santuário de peixes, no sentido de haver mais de dezoito espécies. É um lugar onde as aves vêm se alimentar dos peixes. Tem uma riqueza de biodiversidade muito grande no lago e no seu entorno.

Presidente da associação de moradores do Quilombo do Bom Jardim, Dileudo Guimarães dos Santos conhece como poucos a realidade do lago do Maicá. Ele vive tanto os impactos da expansão da plantação de soja como da construção da infraestrutura que a exportação do grão demanda. Encontramos com ele no quilombo em plena celebração do Dia da Consciência Negra, e voltamos para a entrevista 48 horas depois. O quilombo ainda estava em clima de festa, ou melhor, de fim de festa, com as pessoas arrumando as áreas comuns e voltando às suas atividades diárias.

O Quilombo do Bom Jardim fica em um local de difícil acesso, entre o lago do Maicá e o pé de uma serra. Para chegar até ele, vindo da rodovia Curuá-Una, é preciso embrenhar-se em ramais tomados pela soja, passar ao lado do terreno de Seu Macaxeira e descer um baixada íngreme e escorregadia. Para Dileudo, a localização do quilombo é estratégica:

— Que o povo que vinha pra cá, que vieram pra cá como escravos, se localizavam nas áreas aqui debaixo, mas tinha gente que ficava, durante o dia, na área da serra. E alguns trabalhavam também lá. Porque facilitava ter uma visão de quem chegava pela água. Então já avisava as pessoas: "olha, tá chegando, tal e ali".

No interior do Pará, a história se repete de modo curioso. Ela parece inverter a célebre frase usada por historiadores. Em terras tapajônicas, a história surge primeiro como farsa, e só depois como tragédia. Justamente por conta dessa geografia estratégica, que uma vez favoreceu aqueles que fugiam da escravidão, hoje o quilombo recebe água com veneno das plantações de soja que ficam no topo da serra. Um lixão da cidade de Santarém, instaurado na parte mais alta, também traz água contaminada para eles. Apesar do avançado processo de titulação do quilombo, grileiros avançam sobre a área dos comunitários, plantando soja, dentro do território, enquanto os quilombolas mesmo "poucos têm terra para trabalhar", lamenta Dileudo.

Além da qualidade da água, outra de suas preocupações é com o peixe. "Aqui é água do Tapajós, a água do Amazonas é mais branquicenta. A gente percebe que essa água tem mudado um pouco de cor. E já foram encontrados peixes mortos. Achamos que é pela contaminação da água. E a gente sabe que a contaminação da água vai diminuir a quantidade de peixe."

Dileudo teme que a construção dos portos e o fluxo de grandes embarcações possa vir a aterrar o rio Maicá. O que implica um problema maior para a segurança alimentar dos quilombolas, haja em vista que, com o desmatamento demandado pela soja, a caça diminuiu, como explica Dileudo, "porque a caça precisa da mata mesmo, e precisa de fruta para se alimentar. Acabando com a floresta, é claro que pássaros, macaco, paca, cotia, todo tipo de caça, as árvores também, elas vão procurar viver onde elas encontram alimentação". Castanheiras e abacabeiras foram derrubadas, o que fragiliza ainda mais a alimentação dos quilombolas.

Enquanto isso, os projetos de expansão da soja não param. Ciro acompanha a construção da Ferro Grão, e do projeto de hidrovia Teles Pires-Tapajós. O advogado aponta para a relação entre o desenvolvimento da infraestrutura de escoamento da soja da região Centro-Oeste e o incentivo para a produção no Planalto Santareno:

— O porto da Cargill, que serve para escoar, em um primeiro momento, muito mais a produção que vinha do Mato Grosso etc., essa história do Arco Norte, para ligar o centro-oeste do Brasil com o norte para ter acesso ao oceano, ele incentivou que aqui se plantasse. E o lago do Maicá tem um projeto para construção de seis portos, terminais de uso privado. Além de escoar a produção já existente, ele vai vir como um incentivo para os produtores locais ou de fora virem para produzir aqui.

Para Ciro, existe uma série de condições naturais favoráveis para a instalação de portos privados no lago do Maicá: a profundidade, o fácil acesso por estrada, a ligação direta com o rio Amazonas, em uma área em que o curso da água fica mais rápido. Todos esses fatores, naturais e políticos, estão na origem de um forte lobby para a alteração do Plano Diretor do Município de Santarém.

"Essa região do lago do Maicá é de uma área de preservação ambiental. Você não podia fazer nada ali. Então quando foi para mudar o Plano Diretor municipal, houve todo um ano de participação pública. Consultas. Audiências. As comunidades e os movimentos sociais e demais organizações apontaram a necessidade de se que essa área pemanecesse como uma área de preservação. E foi o texto passando assim. Então a gente achava que no final, quando fosse aprovada a lei municipal que ia aprovar o plano diretor, ficaria como uma área de preservação", conta Ciro.

Ele prossegue: "então houve um lobby por trás, e em dezembro, quando todo mundo estava feliz, a Câmara e a prefeitura aprovaram uma redação que, na verdade, aprovava essa área como expansão portuária". Outra alteração no plano diretor diz respeito à soja, diretamente. Praticamente todas as áreas que não sejam áreas de preservação ambiental foram transformadas em áreas onde a monocultura poderá potencialmente se desenvolver.

Por não terem tido seus protocolos de consulta respeitados, os quilombolas entraram na justiça, que suspendeu temporariamente a construção dos portos de soja. Porém, outro projeto, um terminal portuário de combustível, com as devidas autorizações municipais e estaduais, está sendo construído, e, com ele, toda a infraestrutura logística: "o porto está avançando, está se consolidando, estão terminando de construir", afirma Ciro.

A farsa

De carro, fizemos o percurso entre as comunidades rurais que beiram a rodovia Curuá-Uná. Seu Macaxeira nos acompanhava, explicando como era a região antes da chegada da soja, comparando com como está hoje.

— A farsa das comunidades! – exclamou, do banco de trás.

— Como assim, Seu Macaxeira? – perguntei.

— Só tem umas casinhas aí. Na beira da estrada. E nada mais. Aqui antes era tudo comunidade.

Alguns quilômetros à frente, retomava o raciocínio: "a farsa que deixaram", continuava Macaxeira, apontando para as estreitas faixas de floresta remanescentes, cercadas pelos descampados de soja, "só umas arvorezinhas aí". E então arrematou: "por trás é tudo soja".

Ele conta que todas essas pessoas venderam seus terrenos por quantias ínfimas. Pessoas humildes, que viviam do que plantavam, ficaram iludidas com 10 mil reais, 15 mil reais oferecidos pelos seus terrenos. Acharam que ganhariam a vida na cidade e hoje passam penúria. Em um ou dois anos, o dinheiro se acabou. Diferente da vida nas comunidades, na cidade, tudo custa. Poucos momentos depois, resumiu: "vivemos a era do barão do café, agora são os barões da soja".

Manoel Edivaldo Santos Matos é o Peixe. Presidente do Sindicato dos Trabalhadores Rurais de Santarém. Ele narra a chegada da soja na região de Santarém. Entre o final dos anos 1990 e início dos anos 2000, o prefeito da cidade convidou produtores de soja de outras regiões do Brasil, especialmente do Mato Grosso, para fazerem uma experiência. Um teste, em um hectare de terra. Na área era plantado arroz, feijão, frutas, macaxeira. "E deu bem, a soja deu porreta na área aqui."

— Os produtores do Mato Grosso vieram em peso. Foi até criado um consórcio imobiliário. Os caras vendiam as terras no mapa pro sojeiro. Nessa vinda deles, eles partiram para compra de terra – conta Peixe.

O agricultor ingressou na diretoria do sindicato em julho de 2002, momento em que se iniciava a venda de terras para os sojeiros. Em outubro daquele mesmo ano, fizeram um levantamento rápido para entender o impacto da nova situação: "seiscentos agricultores já haviam vendido suas terras". Foi aí que iniciaram a primeira campanha "Não abra mão da sua terra": "deu uma freadainha, mas muito pouco, porque o lobby para comprar a terra era muito grande", lamenta Peixe.

Em seguida veio o porto da Cargill. A então presidente do Sindicato, Dona Ivete Bastos, foi para Europa denunciar o que estava acontecendo na região, mostrar aos compradores de soja europeus o impacto da monocultura na região: "nesta época nem se falava tanto no impacto do veneno. Era a expulsão dos agricultores. Era igarapés sendo soterrados pela derrubada", diz Peixe. A Cargill, que segundo Peixe não tinha feito estudo de impacto ambiental para instalação do porto, teve então de se adequar.

Foi neste contexto que teve início a negociação para a moratória da soja. Para Peixe, por uma pressão da cadeia de fast-food McDonalds, que não queria comprar soja para alimentar seus perus de áreas desmatadas. A moratória foi um acordo que envolveu produtores, consumidores e organizações ambientalistas.

— Era o acordo de que a Europa só ia comprar soja de área que fosse legalizada, que não tivesse expulsão de agricultor, que não tivesse impacto ambiental, como os igarapés etc., e que não fosse derrubada mais nenhuma árvore de floresta primária para plantar soja, só em áreas alteradas ou degradadas, como eles dizem.

Mas isso depois descumpriram, e a coisa avançou.

O sindicalista mostra-se cético em relação às promessas do setor de agronegócios, de que portos, ferrovias e rodovias melhorarão a situação do município:

— Essa história não vale mais. Porque a gente sabe que onde existe isso, tem aqueles que se dão bem, e muito bem. Mas a maioria da população é afetada negativamente: ou seja, aumenta a pobreza, aumenta a miséria, aumenta a fome, a insegurança pública, a violência aumenta. Concentra renda, concentra terra e aumenta os impactos negativos na área social. Principalmente na área da saúde.

Peixe cita de cabeça uma fala do médico santareno, o neurologista Erik Jennings sobre o futuro que se vislumbra para a saúde da população da região: uma população doente, pela ingestão de peixe contaminado de mercúrio e pela exposição ao agrotóxico. Em abril de 2019, o médico participou de uma audiência pública na Câmara dos Deputados, em Brasília. Lá, fez uma apresentação para deputados e indígenas sobre o impacto do mercúrio no Tapajós: "tenho uma tese de que o homem amazônico está mais doente e mais ameaçado que a floresta".

Desenvolvimento

Sérgio Schwade é diretor de agricultura do Sindicato Rural de Santarém – entidade representativa da agroindústria do Planalto Santareno. Engenheiro agrícola e proprietário rural, sua visão difere do ponto de vista dos pequenos agricultores que se sentem afetados pela soja.

Conversamos na sede do sindicato, onde ele expôs a sua visão sobre a importância do agronegócio para o desenvolvimento da região. Segundo Sérgio, a área utilizada para produção de grãos na região do Planalto Santareno é de 75 mil hectares compartilhada por 230 produtores. O que dá, em média, propriedades de 326 hectares: "no setor do grão, é considerada propriedade pequena. É uma agricultura familiar praticamente". Ele vislumbra a possibilidade de expansão da área produtiva na região e de intensificação – ou seja, uma produção com mais tecnologia para aumentar a produtividade local sem desmatar outras áreas: "a gente tem as áreas antropizadas. A gente obedece a moratória da soja. Então quando é feito algum avanço, alguma limpeza, essa área tem que estar enquadrada. Que é para fazer a parte comercial de forma legal. Tem muita área sim, e a gente pode expandir sem problema nenhum".

Comentamos com Sérgio que alguns produtores rurais tradicionais da região reclamavam da falta de emprego, que as promessas de empregabilidade do setor da soja não teriam vingado. Sua resposta, aponta para outro caminho:

— Aqui tem terra para todos. Tem mais de 700 mil hectares de mata antropizada. Hoje, agricultura de grãos só usa 10% disso. Então tem terra para todos trabalharem. Se ele vender o sítio aqui, ele vem para a cidade, coloca seu negócio na cidade. Se ele vender o sítio, ele foi no outro sítio de mato, com terra mais fértil, porque a dele estava exaurida, o que é um processo natural. E tem a sua terra. O agricultor familiar que quer ficar na atividade continua na atividade. Agora nem sempre ele fica, porque a idade vai chegando, e se ele não tiver sucessores, realmente, eles vão partir para a cidade, para estudar, e com certeza: tendo interesse, tem espaço. Agora que de treze diminui para três ou seis, isso é normal – argumenta Sérgio.

Ele acredita também que a infraestrutura vá gerar maior produtividade, e expandir as possibilidades de negócios na região: "a infraestrutura, quando eu falo, não somente para o setor de grãos, mas para toda a cadeia, do setor agropecuário. Grãos, carnes, a piscicultura. Porque uma vez que você tem uma infraestrutura portuária, você consegue verticalizar o produto aqui. Verticaliza o setor produtivo: você pode passar de proteína vegetal, converter em proteína animal, e aumentar ainda mais a sua renda".

Poucas semanas antes de nossa conversa, a Agência Espacial Norte Americana (Nasa) divulgou um estudo com repercussão internacional relacionando a seca na Amazônia com a atividade humana: "nos últimos vinte anos, a atmosfera sobre a Floresta Amazônica tem secado, aumentando a demanda por água e deixando ecossistemas mais vulneráveis a fogos e secas. Também mostra que o aumento na seca é primeiramente o resultado de atividades humanas". Ainda de acordo com o estudo, "a seca mais significante e sistemática da atmosfera é na região sudeste, onde a maior parte do desmatamento e expansão agrícola está acontecendo". A região sudeste da Amazônia é onde se localiza, precisamente, o Planalto Santareno.

Citando o estudo, perguntamos a Sérgio se o setor produtivo da soja receia que a seca possa afetar a produtividade de grãos na região amazônica. "A gente não concorda com isso. Nós tivemos, na estação meteorológica em Belterra, do Inpe, em 1967 a [19]97 com 1.903 milímetros. E hoje a gente passa de 2.000 milímetros. Vários anos que passou de 2.000 milímetros de chuva.

Inclusive as chuvas antecipando o período entre seco." Para Sérgio, "esse microclima, essa situação, não é aqui".

Já quanto ao veneno, sua opinião é de que pode haver convívio, com as devidas negociações entre as partes:

— Os produtores rurais daqui compram o seu produto, com receituário, onde diz lá que você precisa usar X ml por hectares. Até porque, se a gente aplicar mais do que isso, a gente tem prejuízo. E é prejudicial. Como um remédio também: se a gente dobrar, triplicar a dose de um remédio, vira veneno. Então, a gente tem todo esse cuidado para não ultrapassar. Agora, quando a gente faz esse tratamento manualmente, muitas vezes a gente não consegue controlar, e acaba dobrando a dose. Equipamentos hoje fazem a leitura, e colocam a dose mais precisa, mais correta. Tem que ter toda uma orientação.

Comentamos com ele o caso do Seu Curica e de seu cajueiro, afetado pelo veneno. Perguntamos se existe algum tipo de acompanhamento do sindicato. Sérgio respondeu que não cabe ao sindicato fazer a fiscalização:

— A gente não é fiscal para fiscalizar tudo, e não se sabe o que todos os produtores podem estar no momento aplicando. Então a gente não sabe o que acontece. Precisa ouvir os dois lados, e os vizinhos terem um entendimento também: quando um tem uma cultura, não aplicar determinado produto, ou vice-versa. Tendo esse diálogo, o momento de floração de um cajueiro, evitar determinada aplicação. Acredito que possa ter um entendimento, e todos conseguirem conviver no meio.

Escola e veneno

Chegamos na escola Vitalina Motta, no município de Belterra, pela tarde. As crianças estavam em pleno horário de aula, e um trator vermelho no campo de soja defronte às instalações escolares trabalhava livremente. As professoras e coordenadoras pedagógicas, quase todas mulheres, tinham vontade de falar sobre a situação, mas também receio. Mais de uma delas pediu para gravar apenas a voz, sob anonimato, relatando a tensa convivência diária entre professoras, alunos e veneno. Termos que não deveriam constar na mesma frase.

Foi Heloíse Rocha, professora indígena, quem resolveu dar uma entrevista completa. Ela trabalha há cinco anos na região do Trevo de Belterra: durante três, foi professora em uma escola vizinha, também rodeada pela soja, e há dois está na Vitalina Motta. Ela conta que nunca foi feita uma negociação com os sojeiros, para evitar a borrifação em horário de aula das crianças. "Não houve negociação. Nenhuma gestão da escola fez essa negociação. Não que faltassem reclamações dos professores e funcionários. Eu oficialmente pedi: 'nós temos que fazer alguma coisa. É necessário que a gente proteja as crianças, e nos proteja'."

A professora relata que a aplicação é feita a qualquer hora do dia, e sem nenhum aviso. Uma das dificuldades é conter a curiosidade dos alunos. Com a proximidade dos tratores, muitos ficam espiando, "curiosidade de criança, expondo-se frontalmente à aplicação", enquanto as professoras tentam retirá-los. Existe também receio quanto à possível contaminação da água da escola, que é de poço artesiano e passa pelo filtro. "A gente sabe que o agrotóxico vai pro lençol freático." Entretanto, inexistem estudos sobre a qualidade da água. A falta dos estudos, aliás, é um dos problemas maiores, na relação da população do Planalto Santareno com o veneno. Simplesmente se desconhece o impacto.

Heloíse desabafa: "a gente se sente refém na escola". Ela e os funcionários parecem ter poucas dúvidas quanto aos perigos que correm: "é um consenso entre todos os funcionários que trabalham aqui. Que a gente está sendo contaminado. A gente pode não sentir o reflexo agora. Só algumas pessoas, que são mais sensíveis, que têm a imunidade mais baixa. Mas a gente, aos poucos, está sendo envenenado".

A Secretaria Municipal de Educação de Belterra foi procurada pela reportagem para falar da exposição de alunos a agrotóxicos, mas não respondeu as nossas perguntas.

Kalysta de Oliveira Resende é médica oncologista e hematologista, responsável técnica tanto pelo serviço de oncologia do Hospital Regional do Baixo Amazonas como da Clínica Oncológica do Brasil, ambos na cidade de Santarém, onde pudemos conversar. Ela trabalha com prevenção secundária no tratamento e detecção precoce do câncer. Por esses motivos, a médica é chamada pelo Sindicato dos Trabalhadores Rurais de Santarém para ministrar palestras sobre os cuidados e perigos na manipulação e exposição aos agrotóxicos.

Embora desconheça a existência algum estudo específico sobre a região de Santarém, ela é categórica em afirmar a correlação presente na literatura médica especializada sobre exposição a agrotóxicos e o desenvolvimento de câncer: "podem ser todos os tipos de câncer, mas a gente sabe que os cânceres do sistema linfo hematopoiético, principalmente as leucemias, os linfomas e também os tumores do sistema nervoso central". Ela continua: "existem ainda estudos que correlacionam a exposição a agrotóxicos pela mãe, e a criança já com maior predisposição ao desenvolvimento de carcinogênese".

Isso não significa que uma coisa implica a outra. Como explica a médica: "ninguém está dizendo que todos os pacientes expostos a agrotóxicos vão desenvolver câncer. Até porque o processo de carcinogênese é longo. Envolve mutações genéticas. Mas é sabido que a exposição aos agrotóxicos pode ser um fator de predisposição". Ela afirma também que, além do câncer, existem outras implicações para a saúde. A curto prazo, são implicações agudas, normalmente reações alérgicas como tosse, espirros e vermelhidão nos olhos; mas podem incluir alterações neurológicas e pulmonares. Na exposição a longo prazo, além do câncer, estão relacionados distúrbios endócrinos e aumento no índice de infertilidade.

Kalysta explica que, no câncer, 80% dos casos são fatores ambientais, e que a exposição ao agrotóxico é modificável. Por isso, a médica coloca a sua expectativa na prevenção e educação, e enumera medidas que considera positivas na prevenção do desenvolvimento do câncer em sua relação com o agrotóxico, com o "incentivo à agricultura orgânica, incentivo à agricultura familiar, incentivo à busca de tecnologias e utilização de outras técnicas que não o agrotóxico, realmente, a gente pode modificar o curso da história".

Para que o tom algo otimista da aposta da doutora Kalysta se concretize, muito precisa mudar.

Efeitos na floresta

Heloíse Rocha é taxativa ao afirmar que a soja tomou conta de Belterra. Não apenas da área rural, mas também da urbana. As imagens de drone feitas por nós não indica outra coisa. A soja chega no limite da Floresta Nacional do Tapajós, a Flona – onde, por lei, não se pode mais derrubar.

Remerson Castro Almeida é morador da comunidade de Piquiatuba, localizada no interior da Flona. A comunidade fica às margens do rio Tapajós. Na Flona existem quinze comunidades ribeirinhas e três aldeias de indígenas Munduruku: Bragança, Marituba e Takuara. Separa-os dos campos de soja cerca de 50 quilômetros de mata densa, onde a população local sai para caçar e não raro topam com rastros de onça. Mesmo assim, os impactos da soja se fazem sentir. "Insetos que sequer a gente saberia que existiria" passaram a aparecer na comunidade, provavelmente fugindo do veneno. Em novembro, Piquiatuba celebra a Festa do Açaí. Em 2019, os ensaios tiverem de ser interrompidos porque as lâmpadas atraíram insetos nunca antes vistos na comunidade.

"Se aquela mata estivesse de pé, aquela quantidade de insetos não viria para cá", reflete Remerson. Outra mudança sentida pelos moradores é o aumento do calor, que dificulta a permanência no roçado debaixo de sol: "antigamente, se a gente saísse às 6h da manhã, a gente aguentaria até 11h30, 12h no roçado. Hoje em dia, o máximo que a gente aguenta é 10h da manhã. Até isso dá um atraso na nossa produção, como agricultores familiares".

A Floresta Nacional do Tapajós é uma Unidade de Conservação Ambiental criada através de Decreto nº 73.684, de 19 de fevereiro de 1974. Na época houve uma grande mobilização por parte dos moradores, pois o governo militar queria uma floresta sem pessoas. Mas os moradores recusaram-se a sair e então teve início uma luta pela permanência, da qual muitos dos mais velhos se lembram.

Apesar disso, Remerson relata uma insegurança quanto à continuidade das comunidades na Flona. O Contrato de Concessão de Direito Real de Uso (o CCDRU), estabelecido em 2010, é, como o nome diz, uma concessão, "um empréstimo", nas palavras de Remerson. "O que será de nós quando terminar essa concessão? O que será de nós, caso o governo queira fazer mudanças nas leis?", reflete ele.

O temor aumentou quando a gestão do presidente Jair Bolsonaro apresentou uma lista de 67 unidades de conservação a serem reduzidas ou eliminadas. Entre elas, consta a Flona do Tapajós. A justificativa, segundo o governo, é garantir segurança jurídica a empreendimentos do governo, tais quais obras de infraestrutura, como estradas federais, portos, ferrovias e aeroportos. Procurado pela reportagem, o ICMBio sequer respondeu às perguntas enviadas.

"Para a gente que vive hoje aqui, que vive da sustentabilidade, que somos um povo extrativista, povos coletores, que vivemos aqui. A gente fica em dúvida. Será que vão permanecer leis que vão nos beneficiar, ou serão feitas leis para beneficiar os grandes empresários. Praticamente, é uma luta do povo pobre com quem tem mais dinheiro", sintetiza Remerson. O receio é que tudo possa ser transformado em soja, e que o destino de Boa Esperança se replique em Piquiatuba, e nas demais comunidades da floresta.

Para onde seguir

Seu Macaxeira saiu daquela área em que se encontrava, em Santos da Boa Fé, na qual foi cercado pelo vizinho, no início dos anos 2000. Ele conta que quando se mudou para o ramal do Jacaré, o local era só mato: "Isso aqui não tinha nada". Ele e seus filhos, já crescidos, estão novamente cercados. Sua propriedade é similar àquelas que vimos na região: onde termina seu quintal, começa o campo de monocultura de grãos. Sem muro, sem nenhum tipo de separação. Ironicamente, a única proteção de Seu Macaxeira são as suas próprias macaxeiras, que beiram o campo de grãos.

"É sufocante", desabafa. Entusiasmado, ainda vislumbra uma alternativa: "o único contraponto à monocultura é a gente trabalhar organicamente. Ter uma produção orgânica em larga escala". Entretanto, considera que o atual governo de Jair Bolsonaro faz de tudo para inviabilizar a agricultura familiar e orgânica.

Ele mesmo já não pode garantir que a sua própria produção esteja isenta de veneno. "O vento trás." Outros agricultores comentam que, com o veneno sendo utilizado nos campos de monocultura, eles foram obrigados a utilizar venenos em suas próprias plantações. Do contrário, elas não vingam. Veneno pede mais veneno.

Morador da região há 28 anos, Seu Macaxeira não hesita: "o objetivo deles hoje é acabar a comunidade". A história de Seu Antônio Macaxeira é a história de pessoas sujeitas à fria lei da concorrência do mercado. Existem frequentes acusações de grilagem na região, como denuncia Dileudo, do Quilombo Bom Jardim. Mas em muitos outros casos, o processo de compra de terras é feito de acordo com a legislação vigente, assim como a aplicação do veneno. Não incorrer em ilegalismos, porém, não significa, que este não seja um processo violento. A cada metro comprado, a cada terreno com mata que dá espaço à monocultura de grãos, a cada borrifada de veneno, os pequenos agricultores rurais se sentem cercados. Fogem para a cidade. Aos poucos, são desterrados. Ou ficam como os cajueiros de Seu Curica, apáticos, sem dar fruto; fora de lugar na terra a que pertencem.

"E eu agora vou pra onde? Eu vou conseguir terreno aonde? Pensei na BR-163, mas não tem pra onde. Pensei na Curuá-Una, não tem pra onde. Pensei no lago Grande, mas lá também o agronegócio chegou, e não tem pra onde." Na primeira vez que a soja o encurralou, Seu Macaxeira tinha para onde ir. Conseguiu um terreno na mesma comunidade, em um ramal coberto pela mata. Agora, não vislumbra saída alguma. No interior do Pará, de fato, a história parece se repetir: primeiro como farsa, depois como tragédia.

“A natureza está secando”: quilombo no Marajó vive impactos do arrozal e clima de violência

Vida e água são praticamente sinônimos. Se é certo que a água rege a vida em todos os locais do mundo, no caso do arquipélago do Marajó, no Pará, a afirmação parece ter outro grau de concretude. No conjunto de ilhas incrustado entre a foz do rio Amazonas e o oceano Atlântico, marés, chuvas e períodos de estiagem determinam todos os aspectos do viver. A tal ponto que Rosivaldo Moraes Correa, professor de matemática na escola da Comunidade de Remanescentes do Quilombo Gurupá, em Cachoeira do Arari, um dos dezesseis municípios localizados no Marajó, fala em uma *ditadura da água*. A expressão é referência ao livro do padre italiano Giovanni Gallo (1927-2003), *Marajó, a ditadura da água*, que viveu parte de sua vida no arquipélago. Hoje, porém, os fluxos de água ao redor do município de Cachoeira do Arari estão impactados por um agente externo, capaz de tudo abalar: água envenenada pelo uso intensivo agrotóxico das fazendas, fuga de animais e a até então inconcebível seca de igarapés acompanham uma severa transformação do Marajó em um polo de rizicultura.

Rosivaldo explica o ciclo das águas, regido por duas forças principais: as marés, que ditam diariamente a possibilidade de locomoção entre as casas, realizável apenas de barco; e as estações do ano, marcadas pelo alto índice pluviométrico no inverno chuvoso e um verão seco.

Em linha reta, apenas 71 quilômetros separam Cachoeira do Arari da cidade de Belém, capital do Pará. Mas a viagem é longa e envolve uma tortuosa travessia de balsa, que pode durar três horas, entre Belém e Salvaterra, município vizinho à Cachoeira do Arari. Até há poucos anos, só se chegava ao quilombo de barco. Hoje existe um ramal com acesso pela estrada que liga Cachoeira do Arari à Salvaterra. Antes da chegada à sede do Município, envereda-se por um ramal, atravessando plantações de arroz e descampados onde são criados búfalos de maneira livre, muitas vezes adentrando a estrada – o que demanda cautela do condutor.

Pouco a pouco a vegetação se transforma. A savana vai ganhando densidade, até chegar ao território quilombola, cercado por floresta densa e açaizais. Na parte do quilombo ao redor do rio Gurupá, existe uma área de terra firme onde moram algumas das 850 famílias que compõem o quilombo. Ele ocupa uma área de 11 mil hectares, divididos em sete setores, e que formam uma única comunidade. Para além desta área de terra firme, há também uma região de várzea fértil para os açaizais, que se estende pelo rio Arari e seus belos igarapés. São cursos de água sinuosos, cercados por árvores inclinadas, que pendem em direção ao rio.

Os arrozais impactam a vida no Quilombo Gurupá desde o ano de 2010, quando o agropecuarista Paulo César Quartiero chegou à região para expandir seus negócios de arroz. Segundo os quilombolas, os impactos são muitos, e possuem várias facetas. O agropecuarista e político gaúcho, para escoar sua produção, construiu um porto no território reivindicado pelos quilombolas, sem que estes fossem consultados. O arrozal, por si só, atrai patos e marrecos, que deixaram o território do quilombo. A migração dessas aves influenciou tanto o ecossistema quanto a alimentação de seus moradores: além de terem perdido uma importante fonte de proteína – o pato é um dos elementos tradicionais da culinária paraense –, fugiram seus predadores. Para que cresçam os arrozais e se evitem as pragas, Quartiero utiliza nas lavouras agrotóxicos que chegam ao quilombo pelo fluxo dos rios. Por fim, para irrigar as plantações, a água da foz do rio Arari é retirada, influenciando na reprodução dos peixes e secando os igarapés. Também o açaizal, principal fonte de renda para os quilombolas, começou a secar, sem que estes compreendam os motivos de tal mudança.

“Nós estamos na foz do rio Arari. Com relação à rizicultura no município de Cachoeira do Arari, com a chegada do Quartiero, que tem empreendimento colado com a sede do município, nas margens da rodovia PA-154, aí vocês podem dizer: 'está longe do território, não influencia'. Nós acreditamos que influencia. Direto", afirma Rosivaldo Correa, referindo-se ao conhecido ruralista que encabeça a produção da monocultura de arroz na região.

A reportagem da *Amazônia Real* visitou a Comunidade Quilombo Gurupá na primeira quinzena de janeiro deste ano, 2020. Rosivaldo denunciou o impacto do uso de agrotóxicos no lugar, uma realidade que está longe de ser restrita ao quilombo, e que assola pequenas comunidades tradicionais da Amazônia. A aplicação é "feita por via aérea. Todos os dias, quando está germinado, de acordo com o período que eles julgam necessário. Todo mundo é testemunha porque todo mundo vê, passa na PA-154. Tem vezes que já aconteceu de pessoas passarem de moto, e quando veem estão todas molhadas de agrotóxico".

Ele conta também que há intenso uso de produtos químicos para secar as plantações por parte de Quartiero. Às vezes, quando vai para a cidade resolver alguma pendência, a vegetação está verde. Poucas horas depois, ao retornar ao quilombo, ela está toda seca. "Tudo isso, não tem outra palavra: é veneno", afirma.

O professor receia que toda a água com agrotóxicos desça diretamente para o quilombo. "Em meados do inverno amazônico, a água só desce, então vêm trazendo o que tem pra lá", afirma. Rosivaldo diz ainda:

“certamente quando deságua, vai para o Arari, e nos impacta diretamente aqui”. Ele teme que, por isso, camarão e peixe, importantes fontes proteica dos quilombolas, possam estar contaminados.

Segundo o professor, ainda não foi feito um estudo aprofundado para saber o impacto dos agrotóxicos na região. O que ele sim sabe é que ninguém os consultou quanto à chegada do projeto de rizicultura. Um estudo realizado pelo Instituto Evandro Chagas, em 2013, não constatou excesso de agrotóxicos nas águas da fazenda de Quartiero. Mas não foram coletadas amostras no quilombo, território onde se concentra um grande volume de água drenada dos arrozais.

Rosivaldo Correa aponta para outro aspecto da produção de arroz. Durante o verão pouco chuvoso, os rizicultores captam água do rio Arari. “Eles tiram milhões de litros de água do rio, para irrigar o arroz”. Por esse motivo, acredita ele, o Arari e seus afluentes estão secando.

“Os canais que a gente navegava, hoje já não existem mais. Na frente do território, eu cansei de ir, porque eu tinha embarcação. Nós íamos sempre para Cachoeira [do Arari]. E hoje, por onde eu conhecia o canal, já não existe mais”, afirma.

Alfredo Neto Batista da Cunha, que no início deste ano de 2020 deixou a função de presidente da Associação de Remanescentes do Quilombo Gurupá, é categórico ao falar da seca: “o impacto está sendo pra dentro do rio, e a natureza está secando de uma vez por todas". Ele segue, correlacionando seca e diminuição de peixes e camarões: "a diminuição do camarão e do peixe. E o que nós estamos percebendo mais. O rio Laranjeira, ele era um rio tão fundo... hoje, a gente já no meio do rio vem encalhando".

Paulo César Quartiero foi um dos rizicultores retirados da Terra Indígena Raposa Serra do Sol, em Roraima. O Supremo Tribunal Federal (STF) confirmou, em 19 de março de 2009, a demarcação do território indígena com 1,7 milhão de hectares, que havia sido decretada pelo ex-presidente Luiz Inácio Lula da Silva (PT), em 2005. Com isso, visava pôr fim aos conflitos e ameaças aos povos indígenas, entre eles, Ingarikó, Makuxi, Patamona, Taurepang e Wapichana, que ocorrem na região desde a década de 1970.

Quartiero, 67 anos, natural de Torres, no Rio Grande do Sul, chegou a Roraima nos anos 2000 comprando inúmeras fazendas. De 2005 a 2008, o agropecuarista foi prefeito de Pacaraima (DEM). Neste período, ele foi acusado de diversos crimes contra os povos indígenas, entre eles, de que seria o mandante de tiroteios contra os Makuxi por funcionários de suas fazendas, em maio de 2008.

Os indígenas faziam um protesto pela saída imediata dos arrozeiros e foram atacados a tiros. Dez ficaram feridos, sendo três com gravidade. Quartiero chegou a ser preso poucos dias depois e passou nove dias na carceragem da Polícia Federal em Brasília, sob acusação de posse ilegal de artefato explosivo e formação de quadrilha. Foi solto poucos dias depois, e recebido com festa por admiradores e políticos simpatizantes, ao regressar a Roraima.

Ainda como político de Roraima, o rizicultor foi deputado federal, entre 2011 e 2015, pelo Democratas (DEM). Também foi vice-governador de estado entre 2015 e 2018.

Quartiero começou seus negócios no Marajó logo um ano após a desintrusão da TI Raposa Serra do Sol. Em 2010, ele comprou as fazendas Reunida Espírito Santo e Santa Lourdes por R$ 2.021.800,00, entre os municípios de Cachoeira do Arari e Salvaterra. Juntas, elas totalizam 12.580 hectares.

O agropecuarista também era proprietário de 90% da empresa Quartiero Almeida Ltda (conhecida como Acostumado Alimentos Ltda ou Arroz Acostumado), que tinha um capital de R$ 929.000,00 até 2014. Mas, conforme documentos da Junta Comercial, os quais a *Amazônia Real* teve acesso, ele repassou o controle da empresa para seus familiares Ericina de Almeida Quartiero, que administra os negócios da família Boa Vista (RR), e Larissa de Almeida Quartiero, advogada em Florianópolis (SC). As fazendas Reunida Espírito Santo e Santa Lourdes encontram-se em nome do filho do rizicultor, Renato de Almeida Quartiero.

Elielson Pereira da Silva trabalhou no Instituto Nacional de Colonização e Reforma Agrária (Incra) por quase uma década, e chegou a conhecer treze dos dezesseis municípios que compõem o arquipélago.

Ele entende bem a realidade fundiária do Marajó, apesar de não ser originário do arquipélago. Na condição de Superintendente Regional do Incra, acompanhou a chegada dos arrozeiros na região.

"Tudo indicava que a apropriação desta terra se deu de maneira totalmente ilegal, ilegítima. Você pode, se você tiver dinheiro, comprar o território do Pará todinho. Você pode, é verdade. Não há nenhum dispositivo legal ou constitucional que te impeça disso. Desde que, acima do limite constitucional de 2.500 hectares, você obtenha uma autorização legislativa do Congresso Nacional. Naquele momento, em 2010, o Quartiero dizia que tinha 12 mil hectares". Elielson questiona: "cadê a autorização legislativa do Congresso Nacional possibilitando ao Quartiero, ou a quem quer que seja, se apropriar de 12 mil hectares de terras no Marajó?".

A posição de Elielson em 2010 foi concretizada em agosto de 2019. O Ministério Público Estadual do Pará (MPPA) conseguiu na justiça o cancelamento das matrículas das terras de Quartiero. Em nota pública, o MPPA afirma que, "ao analisar a ação ajuizada pelo Ministério Público e todos os documentos apresentados pela defesa, o juiz André Filo-Creão da Fonseca concluiu que não consta no processo o momento em que teria ocorrido o destacamento desses imóveis do patrimônio público para o patrimônio particular, o que possibilitaria aos antigos proprietários, de forma regular, procederem a venda dos bens".

Elielson resume: "quando Quartiero chegou, não tinha autorização legislativa, e a terra pública não foi destinada. Não estava de nenhuma forma ancorada em preceitos legais". Ele reclama que certos danos poderiam ter sido evitados: "você tem um lapso de tempo que são oito anos, para ter o desfecho que a gente disse lá no começo".

A presidente da Associação dos Remanescentes do Quilombo de Gurupá, Maria de Fátima Gusmão Batista, confirma que não foram consultados quanto à chegada dos arrozeiros.

"A gente não foi consultada sobre a chegada do Quartiero, em momento algum. Ele foi 'praí' e comprou as terras, se apossou de lá e está até agora trabalhando. Ele não é um bom companheiro para vir e ficar aqui pro nosso lado".

O que diz Quartiero?

Em entrevista à *Amazônia Real*, Paulo César Quartiero negou ter problemas judiciais com a Comunidade de Remanescentes do Quilombo Gurupá. "Eu nem sei. Aquela comunidade é longe. Quase setenta quilômetros", afirma. O arrozeiro alega que não existe nenhum tipo de intervenção ou conflito territorial: "a fazenda é de uma família centenária da região, não tem problema nenhum".

Quando questionado sobre o uso do porto do Caracará, Quartiero defendeu-se, dizendo tratar-se de um porto público. "Lá é um porto público, qualquer um usa, é um porto público que a gente usa, da comunidade", diz.

"A situação aqui", retoma Quartiero, "é: estamos plantando, somos a maior plantação, é nossa. Estamos plantando aí, a dificuldade é que produtor no Brasil é criminoso, é suspeito. Somos empregadores. Agora o resto é só perseguição, mas isso não é privilégio do Marajó, é em Roraima. O Brasil felizmente agora está mudando, antes quem não fazia nada era o herói o produtor era o bandido, agora está mudando um pouco".

A "mudança" na política brasileira a qual se refere é com a eleição do presidente de extrema-direita Jair Bolsonaro, em 2018.

A reportagem perguntou se Quartiero via mudanças para melhor ou para pior. Ele respondeu: "você acha que melhor é ficar que nem a Venezuela? Então não, estamos produzindo para ter melhor desenvolvimento. O Marajó é o município que tem o pior IDH do Brasil. Dos dez municípios com o pior IDH no Brasil, três estão no Marajó, e o pior, que é Melgaço. Então nós estamos aqui contribuindo com o desenvolvimento, pagando imposto, dando emprego".

Por fim, o arrozeiro afirmou ainda que possui "no todo, mais de cem" funcionários trabalhando em suas fazendas. Ele concedeu a entrevista no dia 27 de fevereiro.

Origem do conflito territorial

Os remanescentes de quilombo Gurupá vivem, desde os anos 1970, um conflito fundiário com a fazenda que os cerca e que reivindica suas terras.

Alfredo da Cunha, agricultor e ex-presidente da associação quilombola, faz questão de contar a história da linhagem do quilombo. Ele fala pausadamente, pontuando. Usa frases curtas, ou mesmo uma palavra, que sintetizam grandes acontecimentos do passado. Ele fecha com força a mão direita, golpeando com pequenos socos a palma da mão esquerda enquanto narra a sua história: "África. Ficou num lugar determinado. Santana. Município de Ponta de Pedras. Com o tempo determinado. Eles, os escravos, foram tão maltratados. Igual animal. Quer dizer, eles foram marcados. Com marca de ferro no seu braço. Ou aonde quer que seja". Por isso, fugiram da fazenda de Santana. Ele exibe fotos em seu celular da visita que fez à sede do engenho. Se emociona.

Quando fugiam da Fazenda Santana, acabavam parando em outras fazendas, onde eram novamente capturados, relembra Alfredo. Por isso, um par fugiu para Gurupá. "Bom, resumindo, o que foi que aconteceu deles terem fugido. Gorou a vinda deles de Santana para Gurupá. Então, hoje, o nome da nossa comunidade é Gurupá". O par foi capturado, sua fuga gorou, não vingou: gorou o par. Daí o nome atribuído a eles mesmos: Gurupá, reivindicado pelas demais pessoas que depois fugiram da escravidão, em homenagem aos dois que foram recapturados.

É uma história que, sem dúvidas, diz respeito ao passado. Mas a frequência com que Alfredo a repete leva a crer que, de alguma forma, ela também diz muito sobre os conflitos vivenciados hoje pelos quilombolas.

Primeira presidente mulher

Maria de Fátima Gusmão Batista é a atual presidente da Associação dos Remanescentes do Quilombo de Gurupá. Primeira mulher a ocupar este cargo, ela relembra os conflitos antigos com os fazendeiros. Sua fala se encontra em um ponto em que dor e bravura não se distinguem: "o falecido Liberato Magno da Silva Castro, que se dizia ter uma fazenda na Caroba e uma na Boa Vista. Este fazendeiro se apossou da nossa área, e colocou essas duas fazendas aí. E o terreno era nosso, dos Batistas. Depois disso, ele tirou o nosso povo da costa daqui. E colocou para dentro da nossa comunidade algumas famílias, e colocou outras para outros lugares para desocupar a área e ele ficar tomando conta".

Em meados dos anos 1970, os quilombolas que viviam nos igarapés junto ao rio Arari foram expulsos por Liberato Castro. Teodoro Lalor de Lima, o Seu Lalor, foi o único que decidiu permanecer no território. Com o passar dos anos, ele virou presidente da Associação Quilombola.

No local, tradicionalmente, cada tronco familiar ocupava um igarapé. Esses igarapés são considerados uma área muito fértil, repleta de açaizais cultivados por décadas a fio pelos quilombolas. Eles acompanham as curvas dos cursos de água, preenchendo suas margens. Durante a época de safra, vende-se o açaí em Belém, para onde os moradores levam o fruto de barco. Na entressafra, quando se faz o manejo para garantir o bom crescimento das árvores, o principal produto a ser vendido é o palmito de açaí – com menor valor de mercado, segundo os próprios quilombolas.

O território étnico abrangia, até a retirada dos quilombolas do rio Arari, tanto este rio e seus igarapés quanto o rio Gurupá. A partir da tomada da terra por Liberato Castro, as famílias tiveram que se concentrar ao redor do Gurupá. Ficaram acossadas.

O professor Rosivaldo Correa relata que a produção da Fazenda São Joaquim Agropecuária Ltda, de propriedade de Liberato Castro, dependia do aluguel anual dos açaizais para os quilombolas. A fazenda "cria gado de maneira extensiva, solta, no campo da natureza. A maior renda dele era o açaizal, que ele arrendava todo ano", diz ele. Cobravam o que no Marajó chamam de "meia", mas que pode chegar até a ⅔ da produção do açaizal, segundo o procurador da República Felipe Moura Palha, do 3º ofício de comunidades tradicionais do Ministério Público Federal do Pará.

"Em 2002, nós criamos a Associação de Remanescentes do Quilombo do Gurupá, e solicitamos ao Incra o reconhecimento do nosso território", lembra Rosivaldo. Segundo ele, em 2008, com o avanço da reivindicação de um território quilombola, o fazendeiro reagiu, e o conflito se acirrou. Foi só após o início do processo de titulação do quilombo junto ao Incra que eles puderam retornar às áreas de onde foram expulsos nos anos 1970. Em 2011, foi a data histórica de reocupação dos igarapés do rio Arari.

Em entrevista à reportagem, o procurador da República Felipe Moura Palha, disse que existe uma "utilização da polícia local como uma atitude de intimidação dos quilombolas". Ele segue: "o capataz da fazenda está lá até hoje, ele usa da polícia local, da influência política local, para promover uma perseguição, uma criminalização dos quilombolas. Processos, por exemplo, de furto de açaí. Como o cara [o quilombola] vai ser acusado de furtar açaí da área que é dele mesmo?", questiona o procurador.

O martírio de Seu Lalor

O clima de violência é latente na Comunidade de Remanescentes do Quilombo Gurupá. Todo ano, na época da safra do açaí, durante o verão, ele se explicita. Desta forma, o MPF tem tomado medidas, enviando ofícios aos poderes públicos e delegado de Cachoeira do Arari para "garantir que a população tradicional quilombola pudesse usufruir da colheita, de acordo de seu modo de vida", afirma Palha. Trata-se de uma conhecida situação de conflito ao redor do açaí.

"Medo" é uma fala recorrente no quilombo. A presença de policiais e prepostos da fazenda na mata cria uma situação desfavorável aos quilombolas; eles são facilmente observados. A vulnerabilidade é tal que quem está na mata enxerga quem está fora, mas quem está fora não enxerga quem está na mata. O estado de sítio em que vivem os quilombolas em seu próprio território por vezes ganha concretude na forma de prisões e tentativas de assassinatos.

Mas é o assassinato de Teodoro Lalor de Lima, o Seu Lalor, no dia 19 de agosto de 2013, que mais dor causa. Por se recusar, ainda nos anos de 1970, a sair da costa do rio Arari e seus igarapés ocupados por Liberato Castro, Lalor adquiriu papel importante junto aos comunitários. Doente e já idoso, foi preso e algemado no hospital – motivo de grande indignação para os quilombolas. Esteve também algumas vezes em Brasília, denunciando o que acontecia no quilombo.

Os quilombolas têm dificuldade de aceitar a explicação dada pela Polícia Civil e veiculada pela mídia paraense quanto ao assassinato de Seu Lalor. "Esse crime repercutiu, e, até hoje, a gente não desvendou a morte do nosso líder quilombola", afirma Maria de Fátima Gusmão Batista. "Pegaram um de 'gaiato', para incriminar, mas eu acredito que esse crime foi mandado".

O suposto autor do assassinato foi condenado em 2015. A explicação oficial é de que Seu Lalor teria sido surpreendido enquanto estava na casa de uma amante pelo ex-marido desta.

A antropóloga Eliana Teles estava em intenso contato com Seu Lalor nos dias que antecederam seu assassinato. Ela realizou o seu doutorado com uma pesquisa sobre o quilombo. Para ela, a situação toda visava desmoralizar os quilombolas, mexer com o seu orgulho.

Para Maria de Fátima Gusmão Batista, o futuro do quilombo e a tranquilidade de seus moradores dependem da regularização da terra em que vivem: "o nosso apelo é que queremos nosso título. Queremos que o governo nos ajude a ter o nosso título. Se nós tivermos nosso título em mãos, acaba essa intriga dos fazendeiros quererem tomar conta da nossa terra. Nós vamos poder trabalhar e vamos poder pedir o que a gente almeja dentro do nosso quilombo".

A morosidade do Incra

A disputa pela terra e os modos de utilizá-la são, sem dúvidas, os maiores problemas no Quilombo Gurupá. Quem obteve as terras, e de que forma, é uma discussão central.

Em 1989, o governo estadual criou a Área de Proteção Ambiental (APA) da ilha de Marajó pela Constituição do Estado do Pará. Dezesseis anos depois, teve início o processo de reconhecimento do Território Quilombola da Comunidade Gurupá pelo Instituto Nacional de Colonização e Reforma Agrária, em 2005. Em 2010, foi emitida a certificação do território da Comunidade de Remanescente do Quilombo Gurupá.

Entretanto, o processo parou na fase da desintrusão dos posseiros e fazendeiros. O território dos quilombos não está titulado pelo Incra. "Reuniões por cima de reuniões, com o Incra, e o que eles dizem para gente: que o Estado não tem dinheiro, e que não pode fazer a desintrusão. Por isso, estamos empacados com o título que não recebemos", afirma Fátima Batista.

A disputa judicial com o fazendeiro Liberato Magno da Silva Castro e com seus herdeiros acerca do território é longa. O procurador da República Felipe Moura Palha aponta. Inclusive, que é provável que o título do fazendeiro tenha sido objeto de uma grilagem – prática histórica de apropriação ilegal de terras públicas na Amazônia por grandes fazendeiros, e que está associada ao desmatamento, expulsão de moradores locais e violência agrária.

"Nesse processo todo, a gente descobriu que o título de propriedade, que esse fazendeiro, Liberato Castro, dizia legitimar a sua propriedade na área, era um título inválido, porque não tinha o destacamento do poder público particular da área. Altos índices de ter sido grilagem. Ele também estava deslocado. Sequer era na área do conflito real", afirma Felipe Moura Palha. "Ou seja, aquela área é da união, não é particular. Liberato Castro, o título que ele diz, é um título inválido", completa o procurador.

Em resposta à *Amazônia Real*, o Incra confirmou que o "território da Comunidade de Remanescentes do Quilombo de Gurupá, no município de Cachoeira do Arari, região do Marajó, teve a Certidão de Autodefinição emitida em 21 de junho de 2010 e foi reconhecido por Decreto presidencial de 1° de abril de 2016, que "declarou de interesse social, para fins de desapropriação". De acordo com o instituto, os imóveis rurais abrangidos pelo território quilombola Gurupá estão na fase de desintrusão dos ocupantes não quilombolas.

Segundo o Incra, há uma ação, movida em conjunto pelo órgão federal e pela Advocacia Geral da União (AGU) que "visa a declaração de nulidade do título de propriedade, seguido do cancelamento dos registros imobiliários e matrículas do imóvel denominado "Imóvel São Joaquim", compostas pelas fazendas Murutucum Miry, Saparará-Miry, Igarapé da Roça, Santa Roza, Acará e Gurupá, irregularmente ocupadas pelos pretensos proprietários, uma vez que incidem em terra de domínio público federal, incluindo área pertencente ao Território Quilombola de Gurupá."

Herdeira contesta grilagem

Consuelo Maria da Silva Castro é filha e herdeira de Liberato Castro, e foi prefeita do município de Ponta de Pedras (vizinho à Cachoeira do Arari) pelo PSDB, entre os anos de 2012 e 2016. A ex-prefeita contesta a suspeita de grilagem de terra da propriedade de sua família. "Aquela terra ali não é só do meu pai. Ela surgiu em nome do meu pai pois ele era o administrador e filho mais velho. Mas aquilo era da minha avó, que veio para a família. É uma herança para quatro filhos. Uma terra que foi comprada pela coroa, na embocadura do rio, na entrada do rio Arari".

Para Consuelo, "ali nunca teve quilombo". "O governo quer tomar o que tu tens, para dar a quem não tem? Então indeniza o gado que a gente tem lá, indeniza a nossa benfeitoria, indeniza parte da terra que tu estás dizendo que nem tudo é nosso", conclui a ex-prefeita, que hoje ocupa o cargo de diretora de Desenvolvimento Agropecuário da Secretaria de Desenvolvimento Agropecuário e da Pesca do Estado do Pará.

Em 18 de dezembro de 2018, a Advocacia Geral da União (AGU) ingressou com uma ação ordinária solicitando a declaração de nulidade do título de propriedade e de cancelamento de registros imobiliários e reintegração de posse. A ação ainda está para ser julgada pela Justiça Federal. Caso seja julgada procedente, em suma, Liberato Castro e seus herdeiros "sequer teriam direito a indenização. Porque a posse deles era posse de má-fé. Nesse processo de desintrusão (retirada), a fazenda do Liberato Castro sequer seria indenizada", afirma o procurador Felipe Moura Palha.

Barganha de agentes públicos

Já sobre a presença dos arrozeiros vindos de Roraima ao Marajó, o procurador Felipe Moura Palha aponta as barganhas políticas de agentes públicos que permitiram a atuação deles no Marajó. "Houve acordos com autoridades políticas paraenses para que as atividades dos arrozeiros viessem para ilha do Marajó".

Segundo Palha, o MPF alertou que na área viviam populações quilombolas e que era necessária a consulta prévia, que precisam ser levadas em consideração, assim como o Estudo de Impacto Ambiental. "Nada disso foi feito. Eles fizeram um processo de licenciamento simplificado para a implantação das atividades no Marajó".

Pela sua experiência acompanhando o caso do óleo de palma na região leste do Pará, o procurador pode observar similaridades entre os casos de implantação de monocultura na Amazônia: "a gente alertou às autoridades locais que iria acontecer, e aconteceu. O conflito dos arrozeiros com as comunidades tradicionais do Marajó é mais um capítulo do mesmo manual: de você explorar economicamente áreas de floresta com o povo da floresta dentro, e sem levar em consideração nada, ou nem a existência destas pessoas", afirma o procurador.

Palha alerta que, embora a fazenda não esteja dentro do território quilombola, "as atividades estão". Isto provoca impactos nas comunidades. "Não há benefício nenhum para as comunidades por conta do assoreamento dos igarapés, poluição das nascentes, este tipo de coisa". O procurador faz ainda uma reflexão mais abrangente sobre a situação. Considera que "o grande erro das atividades econômicas na Amazônia, e principalmente no Pará, leva em consideração que na área não tem ninguém".

Paisagem de um outro Marajó

Eliana Teles, pesquisadora com longo histórico de atuação no Marajó, lamenta a transformação da paisagem do arquipélago. "Os campos do Marajó, tão historicamente citados pelos viajantes europeus, que passaram nos séculos XVII e XVIII, aquela paisagem exuberante que eles descrevem, hoje elas estão sendo dominadas pelo *agrobusiness*: o arroz, em cachoeira do Arari, que pega uma parte de Salvaterra, e a soja, mais ao leste, na parte noroeste da região, sendo ocupada por soja".

A despeito da falta de estudos específicos, o professor Rosivaldo afirma o que, do ponto de vista de quem vive diariamente o impacto dos arrozais, tornou-se óbvio: "não precisa ser um especialista na área para saber que nós temos um impacto direto, tanto pelo rio, quanto por terra". "Vem o que não serve para nós", resume ele.

Esta reportagem especial da *Amazônia Real* foi realizada com apoio da Repórteres sem Fronteiras (RSF), que é a maior organização internacional de defesa da liberdade de imprensa, entendida como o direito humano fundamental de informar e ser informado.

Veja fotos da reportagem no Flickr: https://flic.kr/s/aHsmKLwR3o

Dias e noites em uma aldeia indígena podem ser tediosos. O grosso do dia gira ao redor de atividades para as quais alguém como eu, nascido e crescido em um ambiente urbano, não possui a destreza necessária para auxiliar. Até tento, mas não sou um bom caçador, nem pescador, e meu desempenho no roçado das plantações de mandioca é tão ruim que os Tupinambá, população com a qual passo a maior parte do tempo durante minhas estadias amazônicas e junto aos quais faço meu doutorado, certamente preferem que eu não atrapalhe.

O fato é que nem todo dia uma entrevista importante acontece. Em muitas ocasiões, o principal acontecimento do dia consiste "apenas" em refugiar-se do sol. Estes dias se repetem com uma regularidade assombrosa. São especialmente lentos e pesados.

Com o baixar do sol, costumo sair com Josi, um dos sobrinhos da cacica Estevina, para dar passeio de canoa. Josi cumpriu há pouco 18 anos, e está começando o curso de educação física em uma faculdade privada de Santarém. Por isso ele tem dividido seu tempo entre cidade e aldeia. Assim, em determinado momento, entendi que ou fazia o passeio vespertino, ou não fazia passeio algum.

Peguei uma canoa pequena, menor que aquela que normalmente utilizava com Josi. Demorei um pouco para entender como equilibrá-la. Só depois de uns vinte minutos desastrosos sem conseguir manobrá-la do curso de água menor em direção ao igarapé do Amorim, percebi que estava remando-a ao contrário. Feliz de ter entendido isso, e ainda mais contente que, entre galhos e arbustos, ninguém na aldeia reparou na minha presepada, decidi, já confiante, seguir até a primeira curva do igarapé.

Acreditando já ter dominado a embarcação, pensei que poderia tranquilamente seguir até a segunda curva. Ao me aproximar dela, vejo, de longe, um animal preto, nadando. Sem óculos, enxergo mal a distância. Porém o entusiasmo foi tanto, que decidi aproximar-me. Parecia uma lontra ou uma ariranha. Havia visto uma ariranha alguns meses antes na margem, e seu pelo negro reluzente me fascinou. Decidi, inocentemente, remar mais rápido, para alcançar o animal.

Ele cruzava da esquerda para a direita. O igarapé do Amorim é sinuoso. Em suas margens, uma exuberante vegetação que alterna igapós e faixas de terra na entrada das aldeias. Os igapós existem apenas na cheia. São árvores retorcidas, de raízes aéreas, entre as quais se pode navegar de canoa para pescar, não raro sendo surpreendidos por cobras.

Assim, temia que o animal fosse se embrenhar nos labirintos do igapó e eu o perdesse de vista. Mais próximo, vi que não se tratava de uma lontra coisa nenhuma. Ele tinha uma cabeça enorme para fora da água, seu torso submerso, com o rabo para trás. Um boi, pensei. E em seguida. Me questionei: "mas o que é que faz um boi aqui, no meio da floresta, atravessando de uma margem para a outra?". Bastaram algumas poucas remadas a mais para conseguir observar as orelhinhas pontudas, como a de um felino.

Era uma onça. Mais precisamente, uma pantera negra, o que significa, uma onça pintada melaninada.

Eu vi a onça.

Não tenho certeza se ela me viu.

Um jogo de olhares marcado pela incerteza, a ponto de colocar em xeque se se pode falar em jogo.

A sensação de não saber talvez esteja na origem do pânico que então me tomou.

Olhava constantemente para trás, com receio de que a onça estivesse em meu percalço, e pudesse submergir a qualquer momento dentro da canoinha em que me encontrava. Posso dizer que quase escutava os tãn-tãn-tãn-tãn-tãn que antecede as cenas de ataques em Tubarão.

Todo a dificuldade em conduzir a canoa desapareceu. Se é certo que demorei quarenta minutos para ir até a segunda curva, a volta para a aldeia não me tomou mais do que dez. Cheguei esbaforido, e ao mesmo tempo encantado com o que havia presenciado. Contei a todos o que vira, e nenhum deles pareceu ter uma dúvida: "era uma onça mesmo", diziam os Tupinambá, um por um.

Como habitualmente fazem, todos se divertiam com a história. Seu Pedrinho, mais animado, brincalhão e bancando o destemido, disse ainda: "se fosse eu dava logo uma remada na cabeça dela". Tenho certeza que na próxima vez que retornar, a história será fonte de divertimento.

A alteridade, a estranheza de se estar em um lugar tão diferente quanto uma aldeia Tupinambá no interior da Amazônia, de repente se tornam relativos. Em poucos dias, podemos ser tomados pela rotina, esquecer que estamos cercados pela selva e da possibilidade de um encontro tão excepcional quanto ordinário com uma onça negra cruzando um igarapé.

Os *Kumuã* do Alto Rio Negro e a descolonização dos corpos indígenas

O polo Base São José II, do Distrito Sanitário Especial Indígena (Dsei) de São Gabriel da Cachoeira, está sem médicos desde que Cuba revogou a parceria com o governo brasileiro, em dezembro de 2018. Foi uma resposta ao então presidente eleito Jair Bolsonaro, que desprezou a ajuda providencial dos profissionais cubanos. Esse centro de saúde atende à população indígena local, e às vezes os enfermeiros precisam realizar viagens para aldeias ainda mais afastadas. Nelas, nem mesmo a comunicação por rádio funciona. Cercado por uma densa floresta amazônica, entremeada por centenas de aldeias indígenas, o polo localizado no Médio Rio Tiquié fica a cerca de dois dias de viagem em lancha rápida de São Gabriel da Cachoeira, já próximo da fronteira com a Colômbia.

Um cronograma pendurado na parede do polo indica uma intensa agenda de trabalho e de atendimento às aldeias. Ainda assim, esse esforço é alvo de críticas. "Essa saúde que vem de fora substitui o conhecimento indígena. Eles estão em um território indígena, mas não estão nem aí para o conhecimento dos indígenas", afirma o Tukano Domingos Borges Barreto, que vive em São Gabriel da Cachoeira. "A dipirona destrói o pajé." Ele faz referência ao complexo sistema de cuidado com o corpo e de cura dos povos indígenas do Alto Rio Negro, que hoje tem o seu centro na figura do *kumu*, entre os brancos identificado sob o nome genérico de pajé.

João Paulo Lima Barreto é indígena Tukano e doutorando em Antropologia no Núcleo de Estudos da Amazônia Indígena (NEAI), da Universidade Federal do Amazonas. Para ele, o *kumu* possui o poder de evocar propriedades de cura e de proteção. É ele quem possui um conhecimento preciso sobre estar saudável ou doente, e a maneira para formar e cuidar desse corpo, por meio da *bahsese* (os benzimentos), da *bahsamoi* (os cantos/rituais) e do *kihti* (as tramas de histórias contadas pelos Tukano).

"É um detentor de fórmulas do corpo", resume João Paulo sobre a figura-central do *kumu*. O sistema de conhecimentos indígenas é, na visão do pesquisador, "tão complexo quanto o da ciência, que ela nega, descarta, e não compreende". "Um sistema muito complexo que foi bagunçado pelo branco", continua João Paulo.

Existe toda uma estrutura do Estado brasileiro para a saúde indígena. Está previsto que indígenas tenham um acesso diferenciado à saúde, pela Secretaria Especial de Saúde Indígena (Sesai), vinculada ao Ministério da Saúde. Os Distritos Sanitários Especiais Indígenas (Dsei), que são de responsabilidade federal, atuam em uma ou mais Terras Indígenas do País, podendo realizar parcerias com os poderes estaduais, municipais e Organizações Não Governamentais.

Mas para Lucila Gonçalves, psicóloga e pesquisadora na área de saúde indígena, usualmente "não se leva em conta o conhecimento dos indígenas de maneira simétrica. Formalmente, há uma proposta de integração, mas o conhecimento dos indígenas acaba desqualificado em relação à biomedicina". No Xingu, onde nos últimos anos Lucila tem realizado sua pesquisa de doutorado, existe uma proposta de trabalho e integração, mas ela está longe de ocorrer de forma efetiva. Lucila conta um episódio que aconteceu com Mapulu, uma importante parteira e pajé da etnia Kamaiurá em Canarana, já fora do Território Indígena do Xingu. Durante um parto que ela foi acompanhar na cidade, o médico do hospital não permitiu que Mapulu entrasse para fazer a pajelança, que envolve "assoprar" a paciente. A pajé teve que tirar a paciente à força do hospital, assoprá-la fora, enquanto o médico protestava. Com a melhora do quadro da paciente, este veio lhe pedir desculpas.

É diante deste quadro, em que o conhecimento indígena é relegado a segundo plano ou tratado como crendices espirituais, que surgem importantes experimentos de valorização do conhecimento indígena. Hamyla Elizabeth da Silva Trindade é enfermeira e indígena Baré, e uma das responsáveis pela Casa de Saúde Indígena (Casai), de São Gabriel da Cachoeira. O local atende mensalmente, em regime de plantão, cerca de 96 pessoas, a maior parte delas com pneumonia, diarreia, malária e suspeita de tuberculose, conforme relatório de 2018. "Na Casai, diariamente, os indígenas nos pedem para o pajé fazer o benzimento ou a pajelança. A gente se depara diariamente com águas benzidas, cigarros para defumar. Trabalhamos com essa relação medicina tradicional e ocidental", pontua Hamyla.

João Paulo Lima Barreto, porém, deseja ir além: "Os indígenas estão viciados em remédios, e esquecem nossas formas de cura". É parte desse conhecimento que João Paulo trouxe para Manaus ao criar o Centro de Medicina Indígena Bahserikowi, em junho de 2017, onde os *kumuã* (plural de *kumu*) do Alto Rio Negro atendem tanto indígenas quanto não indígenas. Além disso, como experiência-piloto, trabalha junto a seu pai, o *kumu* Ovídio, no atendimento de indígenas doentes na Casai de Manaus. "Trata-se de uma parceria entre o Centro de Medicina Indígena Bahserikowi e a Casai de Manaus. Nós entramos com o capital humano e eles com a infraestrutura e organização."

Esta reportagem acompanha o regresso de João Paulo à aldeia onde nasceu, após quinze anos de afastamento para estudar na capital amazonense. Chamada de *Uhremiripa* (corredeira de rouxinóis) antes da chegada dos missionários salesianos e hoje conhecida como comunidade de São Domingos Sávio, a aldeia está localizada a dois dias de distância de lancha da fronteira com a Colômbia – separada por duas grandes cachoeiras que dificultam a subida do rio Tiquié.

Nas conversas durante o nosso trajeto entre São Gabriel da Cachoeira e a comunidade de São Domingos, passando o tempo durante as horas a fio na lancha, escondendo-nos como podíamos do sol abrasador e das chuvas geladas, o que se entrevê é o dia a dia de pessoas às voltas com as dificuldades de perpetuar as formas indígenas de conceber e lidar com o mundo. Diante da perseguição da Igreja Católica no início do século XX e do atual sistema de saúde estatal que lida mal com as práticas e conhecimentos indígenas, chama a atenção a luta pela transmissão desses conhecimentos, em meio à dura vida de indígenas nas aldeias e do preconceito que sofrem na cidade de São Gabriel da Cachoeira.

Com 45 mil habitantes, cerca de 80% da população de São Gabriel da Cachoeira é indígena. É o município mais indígena do Brasil. Indígenas das etnias Arapaço, Baniwa, Barasana, Baré, Desana, Hupda, Karapanã, Kubeo, Kuripako, Makuna, Miriti-Tapuya, Nadob, Pira-tapuya, Siriano, Tariano, Tukano, Tuyuka, Wanana, Werekena e Yanomami fazem da cidade um território multicultural. Em cada esquina, ouve-se um idioma pronunciado por distintos povos. A diversidade é tamanha que a Lei Municipal 145, de 22 de novembro de 2002, passou a reconhecer o nheengatu, o tukano e o baniwa como línguas oficiais da cidade.

Inspirado nessa iniciativa municipal, João Paulo estuda a possibilidade de elaborar um projeto de lei estadual que reconheça os *kumuã* e demais pajés de outros povos indígenas do Amazonas como especialistas aptos a trabalharem no diagnóstico de enfermidades e processos de cura juntos aos médicos que exercem a medicina ocidental.

Um mundo perigoso

O mundo, para os Tukano, requer a mediação constante realizada pelos *kumuã*, junto aos *Wai-Mahsã*, os guardiões dos lugares. Como tudo no mundo tem o seu guardião, seu responsável, é preciso haver mediação: do consumo de alimentos à entrada na mata e pescaria, do parto às formas de lidar com o crescimento das crianças e formação do corpo. São os *Wai-Mahsã* que detêm os conhecimentos referentes aos *bahsese* e às formas rituais, assim, a comunicação feita pelos *kumuã* é fundamental para a aquisição e circulação de conhecimentos. O corpo, em constante formação, precisa de cuidados próprios, com alimentação, resguardos e práticas dos especialistas, como o *bahsese*.

Para que a comunicação entre especialistas e o *Wai-Mahsã* ocorra, é necessária uma etiqueta rígida, marcada pelo preparo do corpo, com a ingestão de substâncias específicas, como o sumo de determinados cipós e do paricá (um rapé com propriedades alucinógenas), elaborados para as grandes festas. Neste preparo dos *kumuã*, é proibida a ingestão de determinados alimentos, como carne de caça e peixes grandes e gordurosos. Se esses requisitos não forem cumpridos, os *Wai-Mahsã*, os donos das coisas, podem ficar furiosos.

Tradicionalmente, existem três tipos de especialistas entre os Tukano e alguns outros povos indígenas do Alto Rio Negro, que atuam juntos no tratamento do corpo. O *yaí* é aquele que possui a capacidade de diagnosticar doenças; o *kumu* é o responsável pelo cuidado com o paciente já diagnosticado pelo *yaí*, por meio da *bahsese* e do uso das plantas medicinais; já o *bayá* é o mestre condutor das grandes cerimônias, também responsável pelo benzimento. É no diálogo entre esses especialistas e os seres invisíveis que se dá a manutenção das forças do cosmos e o equilíbrio do meio ambiente, acreditam os indígenas.

Os missionários salesianos, que fundaram um centro em São Gabriel da Cachoeira em 1916, e a partir de então subiram os rios Uaupés, Tiquié, e outros na região fronteiriça entre Brasil, Colômbia e Venezuela, não viam com bons olhos esse conhecimento indígena. A expansão do trabalho dos missionários ocorre em meio à decadência do ciclo da borracha, na década de 1920. De certo modo, o enfoque colonial muda do controle sobre o corpo para gerar uma força de trabalho para o controle da alma a fim de gerar fiéis. Objetivando "a regeneração dos pobres selvagens"[1],

1 Como conta no Boletim Salesiano (1917) citado por Mauro Gomes da Costa em "Os Povos indígenas do Alto Rio Negro/AM e as missões civilizatórias salesianas: evangelização e civilização".

os *kumuã*, responsáveis pela formação dos corpos indígenas, passaram a ser perseguidos.

"As figuras dos nossos especialistas eram comparadas com bruxos. Nosso conhecimento foi categorizado como profano, diabolizado e perseguido", afirma João Paulo. De acordo com o antropólogo indígena, as categorias de *kumu* e *bayá* são hoje escassas, e os *yaí* foram praticamente extintos. As malocas coletivas foram destruídas, com a imposição de moradias baseadas em núcleos familiares. Os católicos salesianos acreditavam que eram locais onde os indígenas realizavam orgias incestuosas, e qualificavam as festas e pajelanças como diabólicas. Ignoravam regras de casamento como aquela que indicava que homens Tukano deveriam se casar com mulheres Tuyuka, aprendendo de seus sogros conhecimentos referentes à *bahsese* e plantas medicinais.

Aquilo que os salesianos consideravam como um programa "civilizatório", consistia em fazer: "1°... abandonar a maloca, lugar que por sua natureza torna-se de corrupção, para que cada qual viva em sua casa própria; 2° no desistir das orgias periódicas com as inevitáveis bebedeiras; 3° no realizar o matrimônio sem o rapto violento da esposa, mas de comum acordo; 4° no participar da Missa Dominical"[2].

"Muitos Kumuã morreram de tristeza, por não poderem exercer seus ofícios", conta João Paulo. "Meu avô

2 Boletim Salesiano (1930) citado em mesmo artigo de Mauro Gomes da Costa.

mesmo quase morreu. Para ele, exercer esse ofício era vital". Segundo ele, os instrumentos de trabalho do avô, que foram apreendidos, encontram-se hoje no Museu do Índio, em Manaus. Os *kumuã* remanescentes estão fadados ao desaparecimento, por conta do sistema educacional dos missionários e da própria lógica do sistema educacional laico dos brancos, que levam os indígenas para a cidade e relega ao segundo plano o conhecimento dos povos da floresta. João Paulo faz uma crítica à própria antropologia, que permanece lendo a *bahsese* na chave do ritual religioso, enquanto o desafio lhe parece mais "trazer para o debate os nossos próprios conceitos indígenas, e fugir desse jargão". Por isso, prefere falar em "técnicas terapêuticas" e "especialistas".

Durvalino Moura Fernandes, *kumu* do povo Dessano (seu nome em Dessano é Kisibi), mora desde 2001 em São Gabriel da Cachoeira, com sua esposa Judith. Ele conta que seu pai era um grande *kumu*, e com ele aprendeu a fazer *bahsese*, os importantes benzimentos que formam e protegem as pessoas: "Você vai ficar no meu lugar, e precisa aprender a benzer", ouviu de seu pai. Para Durvalino, "a educação dos brancos está acabando com o benzimento". A vida na cidade dificulta muito o compartilhamento de conhecimentos entre os *kumuã*, por isso, junto a outros *kumu*, ele está elaborando a criação de uma escola de *kumuã* e trocas de conhecimento em alguma aldeia ainda a ser definida. Ele vê com ceticismo a proliferação de *kumuã* na cidade, que não se submetem ao rígido processo de formação.

A perseguição da Igreja Católica culminou na eliminação da produção de paricá, encontrado hoje apenas entre os indígenas da selva colombiana. Judith Fernandes Sarmiento, cujo nome de benzimento em tukano é Yuhsio (uma heroína mítica que organiza o processo de conhecimento da mulher), é neta de um *kumu* poderoso, mas não pôde aprender com o seu pai as técnicas de *bahsese*, pois ele foi criado como assistente dos padres, trabalhando como faxineiro e costureiro. O pai só veio a aprender *bahsese* quando Judith se casou com Durvalino, e então seu sogro o ensinou.

Judith conta que seu marido hoje "cuida muito das freiras franciscanas. Mandam fechar o corpo delas para não pegar doenças daqui. Benze com perfumes e com cremes". Antigamente, conta Durvalino, os padres "chamavam os *kumu* de diabo. Hoje em dia, são mais compreensíveis". O *kumu* possui um jeito brincalhão, e repete, rindo em tom jocoso, a mesma frase, "e assim consequentemente", o que não deixa de ser um comentário ao próprio assunto sobre o qual conversávamos, e as consequências das perseguições do passado hoje.

Do internato à pesquisa acadêmica

"Pois é Fábio, chegamos no Quartel General dos Padres", comentou João Paulo, logo após descermos do barco naquilo que um dia fora a missão salesiana de Pari-Cachoeira e onde mora a sua família. São Domingos Sávio, sua comunidade de origem, está a cerca de meia hora rio acima com motor (um dia de viagem de barco a remo), em direção à Colômbia. Por conta da escola, Pari-Cachoeira continua exercendo uma espécie de força atrativa junto aos indígenas, em sua maioria do povo Tukano, que vão para o local da antiga missão em busca de uma melhor formação para os filhos.

No passado, a Igreja possuía capitães em cada aldeia. "Quando o capitão sabia de um *kumu* atuando, eles o perseguiam e mandavam apreender tudo", conta João Paulo. "Faziam também pressão psicológica e econômica, não vendendo mais fósforo, sabão, roupas ou tabaco para as comunidades com *kumuã* atuantes". Os indígenas eram obrigados a vir de canoa, remando por dias, para celebrações especiais como Páscoa e Natal, sob ameaça de serem punidos.

Conversei com um dos padres responsáveis pela Paróquia São João Bosco, onde antes funcionava o internato, desativado há décadas. Joãonilton Lemos Castanho é indígena do povo Tariano, de Taraquá, na cabeceira do rio Tiquié, e está em Pari-Cachoeira há um ano e meio. "Eu vejo com bons olhos essa história. Graças aos salesianos que essas comunidades são o que são", afirma o padre. Ele mesmo se considera fruto desta empreitada, e fala com orgulho da ordem, que conseguiu se estabelecer no Alto Rio Negro, onde antes haviam falhado os jesuítas. Pergunto-lhe então sobre a maneira como a Igreja lidou com os costumes dos indígenas, especificamente as formas de cura dos *kumu* que foram perseguidos. "Para aquele tempo, houve o choque de realidades, de duas culturas. [Os missionários] vieram da Europa e chegaram muitas vezes impondo a sua cultura. Em certo sentido, foi uma perda da nossa cultura: as danças, a nudez. Foi uma grande perda", admite o padre.

João Paulo lembra com detalhes da vida em Pari-Cachoeira. Foi mandado para lá aos nove anos de idade, comprometendo a possibilidade dele se tornar um especialista indígena, seja como *yaí*, *kumu* ou *bayá*, já que os três exigem uma formação específica detalhada, e que pôde ser seguida por muitos de seus primos e irmãos. Comenta, algo desolado, sobre a mudança em sua vida, com a saída da aldeia para um internato com outras 150 crianças, regido por uma dura disciplina religiosa, de ensino e de trabalho. "Tinha horário para levantar, comer, rezar, estudar, fazer roçado e ir dormir". Tudo sob a vigilância dos salesianos, que proibiam os indígenas inclusive de falar Tukano. "Quem falasse tinha que usar uma placa de burro", conta. O interesse era transformar os indígenas em homens à imagem da civilização europeia, a partir do batizado, do trabalho e da disciplina.

De Pari-Cachoeira, João Paulo ganhou uma bolsa de uma empresa de mineração interessada em explorar a região. O curso do ensino médio era para técnico de mineração, em Manaus. Depois de formado, voltou à Pari-Cachoeira para lecionar no mesmo internato onde havia estudado por oito anos. Foi se encaminhando para o sacerdócio, e, pouco depois, voltou à Manaus, onde, iniciando seus estudos em Direito, abandonou definitivamente a vida religiosa. Hoje se considera cristão não praticante. Ingressou pelo programa de cotas para indígenas no curso da Universidade Estadual do Amazonas, período em que esteve intensamente envolvido com o movimento indígena.

João Paulo buscava um tipo de diálogo entre o mundo do Direito e o repertório Tukano, tentando propor uma reflexão sobre as concepções indígenas e o Direito consuetudinário, a forma jurídica que surge dos costumes de determinada sociedade. Mas o mundo do Direito parecia demasiado fechado para tais experimentos. O indígena decidiu então largar o curso, e foi tentar a sorte na Faculdade de Filosofia, com a proposta de obter o seu diploma com um trabalho sobre filosofia indígena, prontamente recusado pelos professores. O corpo docente julgava não existir uma bibliografia especializada na qual o aluno pudesse se embasar. Foi na Antropologia, finalmente, e no contato com seu orientador e amigo, o professor Gilton Mendes do Santos, que João Paulo encontrou um ambiente onde pôde colocar em contato sistemas de conhecimento com os quais convivia diariamente, desde que fora levado para o internato em Pari-Cachoeira.

A visão de João Paulo acerca da Igreja, da sua trajetória e das instituições pelas quais passou não está focada na ideia de que uma cultura foi destruída e tudo se perdera. Enquanto visitávamos, junto a seu irmão José Maria, as dependências do internato de Pari-Cachoeira, onde dormiam quando crianças e adolescentes, ele afirmou que via tudo isso como instrumentos para transformação. "Eu cheguei a pensar que isso tudo era uma perda, mas hoje estou convencido de que não", afirma João Paulo. É possível vir "a ter um conhecimento junto aos wai-mahsã, porque eles estão em outro plano, não no plano da perda". Com a retomada da formação dos especialistas, mediante isolamento, ensino, alimentação, e uso de substâncias para limpeza estomacal e abertura do corpo, João Paulo acredita ser possível a conexão com os wai-mahsã e a recuperação de conhecimentos "esquecidos" neste plano mundano.

Parte desse entendimento de João Paulo aconteceu durante trajeto ao Alto Tiquié, quando paramos para almoçar em uma pequena comunidade Tukano, aos pés da Serra da Mucura. Lá, um *kumu* respeitado, chamado de Ahkuto na língua Tukano, contou uma complexa narrativa acerca da origem das serras que existem por detrás da aldeia, assim como o surgimento das doenças e da cura pelo benzimento a elas associadas. Ao final da trama, afirmou que essa história não era ele que estava contando. Ela ocorreu assim mesmo, e isso está escrito nas pedras nas montanhas e nas corredeiras. Para os Tukano, os conhecimentos sobre a *bahsesse* e as narrativas de criação parecem se increver na paisagem local.

A picada da jararaca

O surgimento do Centro de Medicina Indígena Bahserikowi`i começa com uma história traumática para a família de João Paulo Lima Barreto, idealizador do projeto. Apesar do convívio diário que tivemos em Pari-Cachoeira e na comunidade São Domingos com Luciene Lima Barreto, ela se recusou a contar sobre o acidente que quase tirou a sua vida. Consentiu, porém, que seu pai, José Maria Barreto (também chamado de Ahkuto, em Tukano) a contasse à esta reportagem.

Em uma tarde de dezembro de 2009, enquanto colhia camarões no igarapé de São Domingos, Luciene foi mordida por uma jararaca. A garota, então com onze anos, foi levada à Pari-Cachoeira, onde recebeu o soro-antiofídico disponibilizado pelo Pelotão Militar de Fronteira e iniciou um tratamento com os remédios tradicionais utilizados pelos Tukano. Com receio de piora de seu quadro, a paciente foi transferida à São Gabriel da Cachoeira. Passaram um dia na lancha. Na cidade, segundo José Maria, "por conta da presença de mulheres menstruadas, ela começou a piorar". Como outros povos indígenas, os Tukano entendem que a menstruação e o fluxo de sangue trazem perigos ao irromper a ordem do mundo. Necessitam tratamento especial para ser controlados, muitas vezes com o resguardo da mulher.

Luciene chegou em São Gabriel no mesmo dia de um menino do povo Baniwa, também picado por uma cobra. Ele não resistiu, e morreu no dia seguinte. Segundo José Maria, os médicos então entraram em desespero, e ela foi enviada para Manaus, onde esperavam que poderia ser melhor atendida. Entrou direto na emergência do Hospital Dr. João Lúcio Pereira Machado, e José Maria ficou horas na espera, sem contato com a filha. Ao acordar, Luciene disse ao pai: "Cortaram todo o meu pé". Ela relatou os procedimentos médicos e suplicou. "Já não quero mais viver. Me deixe morrer, papai. Eu não quero viver sem pé".

José Maria relatou que os médicos do hospital acreditavam que, caso não amputassem o pé cheio de veneno de jararaca, Luciene morreria em três dias. Entretanto, para os *kumuã* que a visitaram o diagnóstico era outro. Seu Ovídio, pai de João Paulo Lima Barreto e de José Maria, nesta época já morando em Manaus, assegurou que mediante o *bahsese* e remédios tradicionais Luciene logo estaria recuperada.

Os médicos impediram os *kumuã* de chegarem perto da garota. Afirmaram que eram eles, os doutores, que haviam estudado oito anos para estar ali. "Queríamos tirá-la do hospital, mas os médicos não deixaram. Disseram que eu era índio, que era do interior, e que a menina iria morrer na rua", afirma José Maria. Os indígenas questionavam por que podiam entrar um pastor ou um padre, mas não um pajé. Ofendidos, contrariados e sentindo-se desrespeitados, membros da família Barreto acionaram o Ministério Público Federal para que o hospital não decepasse a perna de Luciene e que permitissem retirá-la do hospital. Depois de quatro dias, conseguiram liberá-la. Nesse intervalo, Ovídio e João Paulo haviam conseguido "contrabandear" água benzida para dentro do hospital. "Foi isso que deu força à ela", garante José Maria.

A história toda repercutiu na imprensa. Enquanto Luciene recebia o tratamento na casa de apoio aos indígenas do Alto Rio Negro, existente em Manaus, o médico Remerson Monteiro, do hospital universitário Getúlio Vargas, ligado à Universidade Federal do Amazonas (Ufam), procurou os parentes de Luciene. "Ele foi mais compreensivo, e permitiu a entrada do pajé e dos nossos remédios", lembra José Maria. Além de Seu Ovídio, outros dois *kumuã* Tukano participaram do processo de cura, junto aos médicos do hospital. Segundo a repórter Elaíze Farias, que na época cobriu o caso para o jornal *A Crítica* e é cofundadora da *Amazônia Real*, os próprios médicos ficaram impressionados com a evolução do quadro clínico de Luciene. Quando ingressaram no hospital universitário, a estimativa era que ela permanecesse sete meses internada. Luciene foi liberada após 45 dias. Até hoje, ela tem dificuldades para caminhar, e possui uma enorme cicatriz em sua canela.

Desde então, João Paulo Lima Barreto, irmão de José Maria e tio de Luciene, tem se dedicado a pensar e propor outras formas de contato entre o complexo sistema de conhecimento indígenas e a medicina ocidental.

Indígenas na cidade

"A vida dos indígenas na cidade é péssima", reflete Domingos Borges Barreto, parente de João Paulo. "Trabalhei na Funai por dez anos e pude compreender essa realidade. Eles estão na margem de morrer de fome. Falta tudo: comida, dignidade. Um lamaçal de coisas ruins: violência, racismo, discriminação". Um dos maiores problemas que atinge a população indígena de São Gabriel da Cachoeira são os altos níveis de suicídio, que já estiveram entre os mais elevados do país.

Domingos conta que participou ativamente do movimento indígena, muitas vezes entrando em conflito com sua função como servidor público. "Antes de tudo, eu sou índio. E o que estava errado, eu falava mesmo", afirma. Para ele, três motivos principais levam os indígenas a saírem de suas comunidades e irem para a cidade, fenômeno que acredita ter se acentuado nos últimos trinta anos: a educação dos filhos, tratamentos complexos de saúde e rachas na comunidade.

Em uma reunião de pais e mestres, Domingos questionou sobre o lugar dos conhecimentos tradicionais no ensino escolar, e vários pais indígenas reclamaram: "Vixe, mais uma vez vem ele falar de conhecimento tradicional, de *bahsese*". Na prática, diz ele, "tudo aquilo que é local, é invisibilizado. Tudo o que a gente tenta ensinar em casa a escola elimina". Ele acredita que o manejo de alimentos nas aldeias mudou, os mais velhos não transmitem todo o conhecimento para os mais jovens, que acham que tudo que vem de fora é melhor e vai resolver as dificuldades. "Não existe índio pobre, desigual. Existe cultura, território e autonomia. Ter medicina, conhecimento tradicional, comida, os mais velhos tinham". Domingos se preocupa com a forma pela qual os conhecimentos indígenas devem ser ensinados, não na teoria mas no dia a dia, com os mais velhos passando o dia junto aos mais jovens. "Em sala de aula fica meio esquisito", conclui.

Logo que chegamos em São Gabriel, pudemos presenciar um ritual dos indígenas Tuyuka, que ocorreu no contexto de abertura da assembleia que duraria três dias, organizada pela Associação Indígena da Etnia Tuyuka Moradores de São Gabriel da Cachoeira. Cipriano Marques Lima, presidente da associação e reconhecido como um grande *kumu*, nos contou, em meio às danças, cantos e usos de substâncias rituais como o caxiri (fermentado de macaxeira) e paricá (rapé), que a associação foi criada para a recuperação das festas rituais e das pajelanças.

Voltamos depois de alguns dias para a sede da associação Tuyuka, onde vive um extenso núcleo familiar, que se mudou para a cidade ao longo das últimas três décadas, vindos da fronteira com a Colômbia. A formação de *kumuã* e a transmissão de conhecimentos na cidade é objeto de reflexão constante. "Não se passa o conhecimento sentando junto. Não é que ele vai contar. Ele até conta, mas como história. É através da *bahsesse* que se abre mente para esses conhecimentos", argumenta Angelina Marques Lima, indígena Tuyuka. Fundamental também é o uso que o *kumu* faz do carpi (cipó a partir do qual se faz um outro tipo de rapé), "utilizado para fazer efeito, para a pessoa pegar mais o conhecimento", segundo Angelina.

No táxi que pegamos logo após a festa, tentei conversar com o motorista a respeito da sua percepção sobre os indígenas na cidade. Ele, branco, não hesitou em responder: "Aí a manguaça é forte, né? São todos uns bêbados". O preconceito e a violência que persistem hoje não deixam de possuir uma relação com a visão de mundo dos missionários do início do século passado acerca do modo de vida indígena – o julgamento sobre sua vida ritual determinado por padrões europeus.

Descolonizar a saúde

Em meados de março, acompanhei a oficina conduzida por João Paulo na Casai de Manaus, junto a indígenas vindos de todas as partes do estado do Amazonas. O *kumu* Ovídio atende em uma sala especial apenas dele, onde realiza diagnósticos e preenche prontuários dos pacientes. Suas receitas indicam a realização de *bahsese*, defumação ou uso de plantas medicinais específicas, ao lado de tratamentos propostos pelos médicos com formação ocidental. Durante a oficina, a proposta de realizar compartilhamento de conhecimentos de cura e de plantas medicinais de diferentes povos foi bem recebida. A ideia básica do grupo é que o sistema de saúde passe, pouco a pouco, a se abrir para técnicas de curas indígenas. Isso já aconteceu na medicina brasileira, que se abriu para a acupuntura, como ressaltou um dos enfermeiros brancos participantes da oficina.

A luta pela descolonização da saúde indígena ganhou mais uma frente. No início de março, em São Domingos Sávio, no Alto Rio Tiquié, João Paulo me contou entusiasmado da reunião realizada com os seus parentes, falada em língua tukano, à qual eu tentava acompanhar com grande interesse, pescando uma ou outra palavra em português.

Nesta ocasião, eles decidiram criar um laboratório indígena de pesquisa biovegetal. Os próximos passos incluem um encontro entre *kumuã* e conhecedores de plantas medicinais e o início da produção de medicamentos com conhecimentos da floresta. A proposta consiste em vendê-los, ainda em 2019, em São Gabriel da Cachoeira, Manaus e possivelmente em capitais do Sudeste.

A colonização, entendida como um duradouro e violento processo político, parece ter seu centro nos corpos. Mesmo em se tratando da catequese religiosa supostamente voltada à alma, é o corpo que emerge como foco de exercício de poder e disciplina, talvez como via de acesso a ela. Corpos entendidos como objetos a serem disponibilizados a formas de trabalho que lhes são impostas. O oposto das visões indígenas, cujo enfoque está mais no constante processo de formação, cuidado e construção, a partir de técnicas como o *bahsesse*. Para o projeto colonial interessa corpos descuidados, corpos cujos processos adequados de formação foram esvaziados, a fim de torná-los precários, disponíveis a um regime político e econômico que só existe ao impor sobre o outro a imagem de si, um regime que só existe no exercício da dominação – dominação do outro, da natureza, do corpo. Se depender de João Paulo Lima Barreto, de seus familiares e dos *kumuã* do Alto Rio Negro, a perpetuação dos conhecimentos de cuidado com o corpo e cura indígena está longe de acabar. Verdadeira rebeldia dos corpos.

Entre festa e luta: a vida da indígena Borari vítima da covid-19

O falecimento aconteceu no dia 19 de março. O velório avançou madrugada adentro. Muita gente, incluindo pessoas idosas, chegaram de noite e passaram a madrugada velando o corpo de Dona Lusia dos Santos Lobato, de 87 anos. A liderança indígena, cuja história de vida se confunde com a da luta pelo reconhecimento dos direitos do povo Borari, era muito querida na vila de Alter do Chão, localizada na cidade de Santarém, oeste do Pará.

A confirmação por parte da Secretaria de Estado da Saúde do Pará (Sespa) que Dona Lusia morreu por coronavírus gerou medo e receio; parentes e pessoas que tiveram contato entraram em quarentena. Mas gerou também desconfianças por parte da família, que reluta em acreditar na morte como decorrência do novo coronavírus. Ela foi a primeira pessoa indígena vítima da doença Covid-19 no Brasil. Por não morar em aldeia reconhecida pela Fundação Nacional do Índio (Funai), sua morte não consta na estatística do Ministério da Saúde.

Dona Lusia veio ao mundo de forma inusitada. Alter do Chão fica localizada às margens do rio Tapajós, possui belas praias e lagos, a ponto de tornar-se um dos cartões postais mais conhecidos da Amazônia. As famílias do vilarejo viviam de pesca, caça e roçado até meados dos anos 1970, quando começa a abertura de uma via de acesso terrestre entre Alter do Chão e área urbana do município de Santarém.

No verão amazônico (agosto a outubro), os indígenas Borari e os demais habitantes do vilarejo aproveitavam da estação de poucas chuvas para se movimentar. Visitavam parentes em comunidades ou cidades próximas, ou viajavam para plantar em áreas de várzea que, com a diminuição dos níveis dos rios, se tornavam particularmente férteis. Foi em um desses traslados que Dona Lusia veio ao mundo dentro de uma canoa, a caminho de Urucurituba, no Amazonas, para onde sua mãe, em estágio de gravidez avançada, ia visitar parentes.

"Apesar de ser filha das águas, minha mãe não sabia nadar", conta Ludinea Lobato Gonçalves Dias, mais conhecida como Neca Borari, uma das sete filhas de Dona Lusia, também ela importante liderança indígena e cacica em Alter do Chão.

Dona Lusia é uma fonte de inspiração para Neca. "Louvo a Deus por minha mãe ter me dado muita força para ser indígena". Ela relembra, com voz emocionada, o conselho de Dona Lusia: "só toma cuidado porque matam muitas lideranças, e eu não quero ver o seu corpo por aí. Mas vai com força".

"Alter do Chão tem uma história, que ela é uma aldeia matriarcal. Se tu vier pra Alter do Chão fazer uma pesquisa, vai ver que 70% das famílias são comandadas por mulheres", explica Neca. Dona Lusia mesma, nunca se casou. Segundo sua filha, ela "não admitia ser comandada por homem. Criou sozinha".

Os indígenas Borari vivem em duas localidades distintas, ambas na região do Baixo Tapajós. O território Borari/Alter do Chão, em fase de identificação pela Funai, é composto por quatro aldeias, são elas: Curucuruí, Caranã, a São Raimundo e Alter do Chão. O outro território é a Terra Indígena Maró, já identificada e demarcada pela Funai. Ali vivem indígenas Borari e Arapiuns, compartilhando o território, que está localizado entre os municípios de Santarém e Parintins.

Neca Borari conta que, no início da década de 1970, a abertura da estrada para Santarém criou uma situação inesperada aos moradores: "o turismo trouxe algo que não estávamos preparados: a especulação imobiliária. E isso foi o fim. Aí luta, luta, luta", relembra, sem deixar de mencionar o clima de medo e violência que dominou a vila, com tiroteios e gente alvejada "que até hoje tem bala no corpo", diz.

Em 2003, já estava em andamento o processo de autorreconhecimento de três aldeias Munduruku dentro da Floresta Nacional do Tapajós (a Flona), distante cerca de três horas de lancha rápida de Alter do Chão. São comunidades ribeirinhas que se levantam contra a narrativa de embranquecimento e reafirmam sua identidade e luta por direitos. Como muitas vezes formulam os indígenas do Baixo Tapajós, é como um despertar de um sono pesado.

Este movimento se irradiou por todo o Baixo Tapajós, e influenciou os Borari de Alter do Chão. Uma nova fase da organização comunal nascia: reuniões, idas à Brasília, grupos de trabalho da Funai. "Então fizemos um cacicado. Mas a gente não se sentia bem, como mulheres, ter o cacicado de homens. Tínhamos o pensamento diferente. E como a gente sabe, que se um grupo não se sente bem, com a liderança, por algum motivo, constituímos um cacicado, só de mulheres, e que representa 180 famílias de Alter do Chão", reflete Neca.

Trata-se do Núcleo de Mulheres Sapú Borari. Sapú, conta ela, significa raiz. Neca retrata a sua mãe como uma guerreira e festeira, termos que na Amazônia indígena andam de mãos dadas. Rituais são parte da intensa vida destes povos, e a luta para que estes não desapareçam é uma luta por formas de vida diferencia. Dona Lusia, assim, uma das responsáveis pela parte cultural do cacicado, ocupava um lugar de importância nas festas comunitárias, na culinária, nos rituais, na contação das tramas de narrativas e no artesanato indígena.

A recuperação do Sairé, a tradicional festa da vila, teve também a participação de Dona Lusia. "Para os Borari", conta Neca, "Sairé era o deus que eles adoravam. Só que essa parte foi proibida pelos padres, em 1943". Dona Lusia conheceu o Sairé antes de sua proibição pela Igreja.

"Foi só em 1960 que o povo se uniu e recomeçou o ritual do Sairé. As danças, e os rituais, sem ser a reza. Era em torno de vinte pessoas", relembra Neca. Dona Lusia era um dos "comandos" da recuperação da festa, como a denomina sua filha: "tem nossos rituais indígenas, nosso carimbó da Amazônia. E segue todas essas danças que temos aqui. Ela era da reza, mas era mais preocupada com a questão das danças. Ela defendia muito isso daí. Ela dançava. E gostava".

Histórias dos tempos dos antigos, garante Neca, nunca faltaram no papo com Dona Lusia. Uma das que mais gostava de contar era a do lago Verde do Muiraquitã, o lago da comunidade. Dona Lusia fez questão de visitá-lo pouco antes de falecer, como que para se despedir. Hoje o local também é objeto de violenta especulação imobiliária.

Foi às suas margens, na Área de Proteção Ambiental, que ocorreu o intenso incêndio em setembro de 2019, destruindo uma área equivalente a 1.647 campos de futebol. A Polícia Civil do Pará, no final do ano, acusou os brigadistas voluntários de Alter do Chão de serem os responsáveis pelo incêndio, mas o Ministério Público do Estado do Pará devolveu o inquérito à Polícia Civil no início de 2020, alegando falhas.

Termino esse texto com o mito do lago Verde, tal como o contava Dona Lusia, e como nos conta Neca Borari. Ela fala de violências e de sumiço, mas também da persistência da crença na lua e da transfiguração de seres.

O lago é verde porque tem uma história. Há muitos anos, quando nossos antepassados que aqui viviam, eles deram falta de uma índia jovem que sumiu da aldeia. E houve uma procura, uma busca. Alter do Chão, o povo Borari, tem como intercessor, para o criador, para Tupã, a lua.

Até hoje, no meio dessa especulação imobiliária, dessa invasão de outras pessoas, nós não contamos 9 meses para parir, contamos 9 luas. Para tirar a palha das nossas casa, não pode fazer quando está luar. Só plantamos na força da lua. O peixe é mais forte na força da lua.

Os povos se reuniram, com todo o povo Borari, para pedir pra lua mostrar onde a índia estava. E a lua então, no ritual, respondeu, que ela ia mostrar, que ela ia devolver. Então foram no lago.

Aí na tarde, formou um grande temporal. E viram sair do meio do lago uma árvore, com frutos coloridos que brilhavam como luzes. E essa árvore passeava pelo rio, flutuando. Fez o passeio, e ela retornou de onde tinha saído. Então eles foram ver o que era aquilo.

Aqueles frutos, tinham se transformado. Eles se transformavam em sapos verdes, que formavam um grande tapete no lago. Por isso, Lago Verde dos Muiraquitãs. O nome dessa índia era Naiá. A árvore recebia o nome de Zineira, a árvore dos sapinhos.

Escrever de perto

Passo boa parte dos textos acima escrevendo sobre outras pessoas. Pessoas que estão vivenciando situações de violência e conflitos. Neste momento de reflexão, gostaria de tecer um breve comentário sobre os anseios pessoais que me levaram a enveredar por este caminho. É uma forma de abrir ao leitor um pouco dos sentimentos que tem me mobilizado nos últimos anos e que estão na origem destes textos.

Posso começar de uma forma direta. Tudo o que eu queria, em meados de 2016, era rodar a Amazônia e escrever. Tentar entender o que significa a vida nessa parte do planeta, tão falada e tão pouco conhecida. A vida e sua potência de criação, que me impressionam a cada conversa, a cada barco, a cada estada. Mas também a morte e a destruição.

Eu estava então consolidando uma carreira profissional em centros culturais e no mundo das artes visuais, tendo defendido recentemente um mestrado em História da Arte e Antropologia. Fiz grandes amigos e amigas – dos melhores que tenho até hoje. Aprendi muito. Mas, de alguma forma, me sentia também desestimulado: capturado por um dispositivo um pouco ensimesmado, que caracterizou, ao menos pra mim, minhas experiências neste vaivém entre vida acadêmica e instituições culturais. Por mais instigantes que as questões ali debatidas pudessem ser, sentia falta de algo. Certa concretude.

Fiz meu mestrado em Paris. Trabalhava como guia de bares, com um guarda-chuva laranja semifluorescente guiando turistas americanos e britânicos por bares de péssimo gosto ao redor da Praça da Bastilha. Fazia dinheiro suficiente para pagar as contas e poder me reunir com amigos latino-americanos pós-expediente, já por volta da 1h da manhã, e que compartilhavam a mesma rotina que eu. Estudar durante a semana; comer barato em deliciosos restaurantes do Sri Lanka e do Vietnã (quanto menor o estabelecimento, mais sujo o ambiente, mais remota a localização e, claro, mais apimentada a comida, mais carinho nutríamos pelo local); trabalhar em bares e restaurantes, e sair do trabalho para beber e jogar conversa fora, sobre literatura, cinema e sobre nossas pesquisas.

Chepe, meu amigo guatemalteco, pesquisava a história de violência da ditadura em seu país de origem e suas consequências hoje. Andrés, um dos colombianos de nosso grupo, investigava o impacto das ações de paramilitares na região do caribe colombiano.

Inés, minha melhor amiga no período, é argentina e centrava o seu trabalho acadêmico nas oficinas de literatura e de escrita que lecionava para presidiários de Buenos Aires. Entre os mexicanos, o tema era violência, corpos, revoltas indígenas, zapatismo etc. De repente, comecei a perceber que minha pesquisa em história da arte, concepções de futuro da modernidade e a maneira como tempo e política se articulavam em obras de arte contemporânea, simplesmente... me entediava.

Cultivei esse movimento de autorreflexão durante meses. Não como inveja, mas como um questionamento acerca da relevância em escala maior da minha pesquisa. Acredito que este meu desconforto fosse visível para todos. Ou pelo menos era suficientemente visível para mim, o que me levava a acreditar que o fosse para outros. Na defesa do mestrado, lembro com clareza do olhar um pouco cansado do professor debatedor, Jacques Leenhardt, historiador da arte e brasilianista. Ele começou a sua arguição reclamando de três erros gramaticais. "Dá para perceber que essa tese não foi escrita por um francês", disse ele. Pensei: "Bom, mas não foi mesmo", e quando ia esboçar um protocolar pedido de desculpas, Monsieur Leenhardt, talvez percebendo que eu nada, ou muito pouco, teria para responder ao seu comentário inicial, emendou outro:

— Seu texto é fascinante, às vezes um pouco rápido, mas dos melhores mestrados que já li. Porém, eu fico com a sensação de que o que te interessa mesmo não é história da arte, e sim uma investigação sobre *como falar de política.*

Não sei se foi exatamente isso que ele disse. Mas foi assim que ficou para mim.

Sobe no barco. Ata a rede. Lê. Conversa com os companheiros de viagem. Cochila. Lê. Cochila. Se segura nos mastros que dividem o convés por conta do temporal. Desce a apertada escadaria para o andar de baixo para comer. Volta para a rede. Desata a rede. Chega na aldeia. Ata a rede. Sai para pescar. Sai para caçar. Entrevista. Susto com a cobra. Tentativa falida de pescar o peixe. Tentativa falida de acertar a paca. Volta para rede. Acorda e escuta histórias: dos antigos, de plantas, de encantados, mitos. Alguns dias mais tarde, barco novamente.

Às vezes fico pensando como minha vida foi se convertendo nessa errância pela Amazônia, priorizando regiões em conflito para as quais me enviam editores na esperança de que eu retorne são, com histórias minimamente bem escritas, críticas e que levem em consideração o ponto de vista das pessoas que ali vivem. Dessas editoras, aliás, aquela que até hoje mais confiou no meu trabalho, com quem mais trocas tive, e quem mais me ensinou, é a Kátia Brasil. A afinidade e proximidade se traduzem na quantidade de textos aqui replicados, que primeiro saíram na agência de notícias *Amazônia Real*, da qual Kátia é cofundadora, junto a Elaíze Farias.

Voltando a essas deambulações amazônicas, como definiu um amigo fotógrafo meu, acostumado a elas, é um pouco uma vida de cachorro sem dono. Não discordo de seu ponto de vista. Na verdade, é possível encontrar prazer levando este tipo de vida, por mais que a profusão de relatos de conflito frequentemente me desestabilize do ponto de vista subjetivo.

Talvez eu tenha me deixado influenciar demais pelas leituras de adolescência. Sempre tive uma predileção por narrativas de deslocamento – espaciais ou temporais. Mas foram certamente dois escritores nascidos em território que hoje constituem a improvável Bielorrússia que mais me influenciaram. Ryszard Kapuściński, em suas reportagens como correspondente da Agência Polonesa de Comunicação no então chamado Terceiro Mundo, rodou dezenas de países, acompanhando golpes de Estado, ditaduras, revoluções, guerras, massacres, quedas de imperadores. Como narrador de tantos e tantos momentos cruciais da segunda metade do século XX, desenvolveu uma metodologia própria, projetando-se como um astuto fisionomista do poder e dos grandes eventos políticos tais como são vivenciados "de baixo": o modo como camponeses e moradores de favelas na África veem os líderes revolucionários, e não a visão dos poderosos e industriais sobre esses processos. Sobre essa "geologia da escrita", dedico maior atenção no terceiro ensaio do meu livro *Em rota de fuga* (no prelo), por isso não desejo aqui me estender.

A outra influência bielorrussa central na minha vida é Svetlana Aleksiévitch, ganhadora do Nobel de Literatura de 2015. Li em algum lugar que ela teria inventado um novo gênero literário: um romance feito de entrevistas e depoimentos. Talvez seja um exagero afirmar isso, mas aponta para aquilo que considero o mais rico em suas obras: um mergulho profundo na vida de pessoas comuns para narrar grandes eventos da história do século XX, como a Segunda Guerra Mundial, o colapso do socialismo soviético e o acidente de Tchernóbil.

A lista de obras que trago comigo nestas andanças amazônicas não terminaria rapidamente. A mexicana Cristina Rivera Garza e seus experimentos em busca de uma escrita que dê conta da dor do outro; o engajamento político de Tariq Ali em sua paixão pela escrita como forma de denúncia; os ensaios teóricos e os diários íntimos de Susan Sontag; o tom e as sensações vividas recriadas por Natalia Ginzburg a partir daquilo que quase não se vê, que quase não tem lugar; a obra de não ficção de Antonio Callado e de George Orwell (aliás, para mim, as maiores contribuições do autor de *1984* à literatura residem aí, e não em sua ficção); o mundo duro e apaixonado ao qual nos convida Anthony Bourdain por suas cozinhas repletas de trabalhadores que mais parecem piratas ou veteranos de guerras; a escrita atenta e o comprometimento ético de Eliane Brum; Elias Canetti, a aposta no livre pensamento de um dos escritores que melhor entendeu o significado da palavra ensaio; as horas mergulhadas na revista *Piauí*. E, por fim, aquele que, para mim, é o melhor ensaio brasileiro já escrito: *Verdade tropical*, de Caetano Veloso. Autobiográfico, memorialista, crítico, teórico, bem-humorado, emotivo, não linear: elíptico.

Não seria um exagero afirmar que na Amazônia o tempo passa de modo diferente. "Tem um barco para pegar lá no Parauá na segunda". Vou até o Parauá, de moto, pela floresta. Mas, na verdade, o barco sai apenas na quarta-feira. "Mas não tem problemas, arma a rede aqui em casa e espera tranquilo", me diz Mercedes, agente indígena de saúde e esposa do cacique Braz, que está no mato. A imprevisibilidade é a regra. Uma viagem que normalmente dura seis horas com frequência tarda dez horas.

Espaço e tempo transcorrem em mútua dependência. Como se rios, lagos e florestas impedissem o passar do tempo concebido à imagem de uma seta que transcorre sobre uma superfície lisa. O oposto da imagem de um carro sobre uma estrada. Na Amazônia, o tempo ainda é um tempo que tarda a passar. Pelo menos enquanto houver rios e florestas.

Gosto destas longas horas no barco. Não sou fã de aviões. Nunca fui, ainda mais aqui na Amazônia, onde os voos são caros, sujeitos a turbulências pelas enormes formações de nuvens pelas quais as diminutas aeronaves penetram. É também nos barcos, no tempo distendido da viagem, que mais tenho aprendido sobre os diferentes mundos que coexistem na Amazônia.

Às vezes me parece que a vida das pessoas na Amazônia toma forma na fricção entre dois mundos, entre duas formas de ser em relação ao território. Ou melhor, uma forma de vida em relação ao território, e outra desligada dele, sem vínculo com a terra. De um lado, as relações de pesca, caça, colheitas e plantios. Uma co-formação íntima entre pessoas e terra. Do outro, as imposições do mercado, formal e informal, a vida marcada por "dar um jeito". Nisto, não muito diferente do modo como se estrutura o mercado de trabalho em sua forma contemporânea ao redor do mundo. Com um particular aterrorizante: a perversidade com a qual empreendimentos, maiores ou menores, transformam as pessoas que viviam naqueles locais em agentes da destruição de seus próprios mundos.

Cortado o vínculo com a terra – se é que esse corte é definitivo, já que é comum escutar de pessoas que deixam as capitais e grandes cidades do Norte para regressar à sua aldeia ou comunidade de origem. Assim, melhor dizer que, quando colocado em suspensão esse vínculo imediato com a terra, aqueles que outrora viviam da floresta passam a compor uma massa de trabalhadores e desempregados que formam o grosso das cidades amazônicas. A massa, disse Elias Canetti, tende sempre ao crescimento e ao adensamento. Essa é a sua característica fundamental. Sua essência. A massa de trabalhadores amazônicos aumenta e se densifica conforme segue a destruição de seus territórios. Não por acaso, Canetti pensa a massa à imagem do fogo, que por tudo se alastra, tudo destrói, tudo equipara às cinzas.

Uma radiografia mais nítida daquilo que aconteceu, e segue acontecendo, em outros lugares. Uma máquina que há muito trabalha para transformar indígenas em pobres.

Em reportagens, crônicas ou mesmo em minha própria pesquisa de doutorado em antropologia, o que nos últimos anos tem me instigado é uma única e mesma questão. A busca por uma forma de escrita apropriada para narrar a destruição do território amazônico, a destruição das suas formas de vidas humanas, não humanas, extra-humanas.

Uma escrita doída, sem dúvidas. Mas também uma escrita que busca refletir uma certa alegria – para a surpresa de muitos. Uma tentativa de alçar à superfície do texto um pouco dos conflitos e do medo, mas também da resistência da guerra-festa, usualmente escamoteada; do riso e do humor cotidiano com o qual as situações mais desesperadoras são muitas vezes vividas pelas populações amazônicas. A riqueza de um mundo que se destrói e suas estratégias de refazimento, como uma guerrilha que opera na surdina. Quase imperceptível. Mas não desprovida de potência e ânimo. Constante refraseamento das condições de vida que lhes são impostas.

Daí a busca por uma escrita do detalhe, do ruído, do dito-quase-quase-não-dito. Não escrever sobre. Não escrever com. Colocar minimamente em xeque o meu próprio mundo. Tentar enunciar um feixe desses outros mundos. A procura por uma escrita rasteira. Como coloca a cineasta e pensadora vietnamita Trinh T. Minh-ha, a busca por uma escrita de perto.

É às pessoas concretas que compõem este livro que devo, antes de mais nada, agradecer. Pessoas que resolveram abrir parte de suas vidas, em meio a tensões políticas, crimes ambientais e devastação da floresta. São pessoas que decidiram compartilhar situações delicadas com um desconhecido. Elas me receberam em suas casas, compartilharam comigo peixe, farinha e frutas, pois acreditavam que algo poderia sair da escrita destas histórias.

Esse livro reúne reportagens, crônicas e relatos, que não poderiam ter sido escritos sem o apoio de meios de comunicação comprometidos com uma reflexão crítica sobre o que ocorre hoje na Amazônia. Kátia Brasil e Elaíze Farias, fundadoras da agência *Amazônia Real*, repórteres experientes, são as pessoas com quem mais aprendo sobre a Amazônia. Não por acaso a maioria dos textos aqui replicados saíram pela plataforma da *Amazônia Real*. Natalia Viana, Marina Amaral e Thiago Domenici, da *Agência Pública*, aceitaram a ideia da crônica sobre a fronteira entre Brasil e Venezuela. Marina Menezes, do *Nexo Jornal*, foi a responsável pela edição e publicação do ensaio-relato que escrevi sobre a autodemarcação Tupinambá – meu primeiro texto escrito na Amazônia. O *Pulitzer Center*, junto com o *Rainforest Journalism Fund*, me concedeu o apoio para a investigação sobre como vivem os agricultores cercados pela soja no Baixo Tapajós – agradeço ao Luís Brasilino, do Le monde Diplomatique Brasil pela edição cuidadosa. *Jornalistas sem Fronteiras* possibilitou a reportagem no Arquipélago do Marajo. Também agradeço aos editores da Revista Piseagrama, especialmente Felipe Carnevalli De Brot, por publicar uma crônica que se desdobrou da minha pesquisa de doutorado no Baixo Tapajós – pesquisa esta financiada com recursos da Fundação de Amparo à Pesquisa do Estado de São Paulo (Fapesp).

Ismar Tirelli Neto leu, comentou e refletiu comigo sobre trechos deste livro, indicando caminhos e potencializando certas imagens (erros e excessos são exclusivamente meus, é claro). As ilustrações do livro, feitas pelo artista-indígena Gustavo Caboco, merecem atenção e carinho. Foi ideia da Laura Daviña, editora-designer do Publication Studio São Paulo, convidar o Gustavo.

A publicação deste material parte de ideias da Laura Daviña acompanhada por outra Laura, a Laura Viana. Este livro é fruto de um diálogo aberto com ela sobre os textos, e um olhar atento sobre as possibilidades de edição e de design.

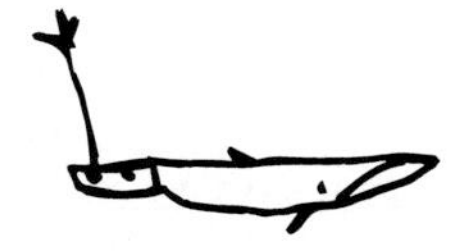

Fábio Zuker é escritor de não ficção, dedicando-se principalmente a ensaios, crônicas e reportagens. Trabalhou em projetos curatoriais, como a Casa do Povo, Vila Itororó Canteiro Aberto, entre outros. É mestre em Ciências Sociais pela EHESS-Paris e doutorando em Antropologia Social pela Universidade de São Paulo. Como jornalista, colabora com a agência *Amazônia Real* e já escreveu para *National Geographic*, revista *Piauí*, *Le Monde Diplomatique*, *Agência Pública*, *Nexo Jornal*, revista *PISEAGRAMA*, *O Estado da Arte*, entre outros meios. Nos últimos anos, tem trabalhado especificamente com histórias relacionadas à floresta amazônica, buscando uma escrita "de perto", junto às pessoas que vivenciam o processo de destruição de seus territórios e suas formas de resistência.

Sobre os textos

"Uma floresta que queima" foi publicado em março de 2020 na revista *PISEAGRAMA*. Esse texto faz parte da pesquisa de doutorado em Antropologia Social que o autor realiza no Baixo Tapajós, sobre a destruição dos territórios indígenas e suas formas de resistência. A pesquisa é realizada com o apoio da Fundação de Amparo à Pesquisa do Estado de São Paulo (Fapesp).

"Brasileiros e venezuelanos: uma crônica de ódio e compaixão" foi publicado em setembro de 2018 na *Agência Pública*.

"Vida e morte de uma baleia-minke no interior do Pará" foi publicado em dezembro de 2017 na *Amazônia Real*, sob título "Vida e Morte de uma baleia-minke no rio Tapajós".

"Uma tarde junto aos venezuelanos no viaduto da rodoviária de Manaus" foi publicado em março de 2019 na *Amazônia Real*.

"A autodemarcação da Terra Indígena Tupinambá no Baixo Tapajós" foi publicado em janeiro de 2017 no *Nexo Jornal*.

"Anamã, metade do ano na água, outra metade na terra" foi publicado em maio de 2019 na *Amazônia Real*.

"Campos de veneno" foi publicado em fevereiro de 2020 no *Le Monde Diplomatique Brasil*. A matéria vem acompanhada também de um vídeo e ensaio fotográfico realizados por Bruno Kelly. O vídeo pode ser assistido aqui: youtu.be/o4Is5kjt8CQ. Este material foi foi produzida com o apoio do Rainforest Journalism Fund em parceria com o Pulitzer Center.

"'A natureza está secando': quilombo no Marajó vive impactos do arrozal e clima de violência" foi publicado em abril de 2020 pela agência *Amazônia Real*. A matéria vem acompanhada de um vídeo e ensaio fotográfico realizados por Cícero Pedrosa Neto. O vídeo pode ser assistido aqui: youtu.be/sNcYIviawXA. Este material foi produzido com o apoio da Repórteres sem Fronteiras (RSF).

"Os Kumuã do Alto Rio Negro e a descolonizaçã dos corpos indígenas" foi publicado em agosto de 2019 na *Amazônia Real* em duas partes: "Os Kumuã do Alto Rio Negro: especialistas da cura indígena" e "A picada da jararaca e o desprezo ao conhecimento dos Kumuã do Alto Rio Negro".

"Entre festa e luta: a vida da indígena Borari vítima da covid-19" foi publicado em abril de 2020 pela agência *Amazônia Real*.

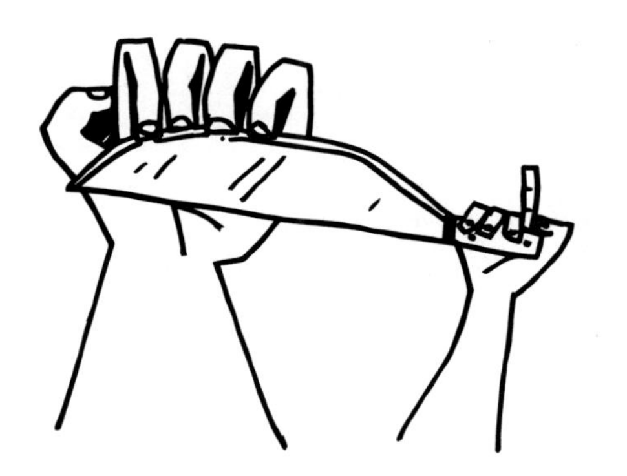

organização e projeto gráfico: Laura Daviña
ilustrações: Gustavo Caboco
revisão: Lilian Aquino (1ª edição) e Milena Varallo

agradecimentos:
Kátia Brasil e Elaíze Farias (*Amazônia Real*); Natalia Viana, Marina Amaral e Thiago Domenici (*Agência Pública*); Marina Menezes (*Nexo Jornal*); Marta Azevedo e Natalia Zapella.

Dados Internacionais de Catalogação na Publicação (CIP)
(Câmara Brasileira do Livro, SP, Brasil)

Zuker, Fábio
Vida e morte de uma baleia-minke no interior do Pará e outras histórias da Amazônia / Fábio Zuker. -- 2. ed. ampl. -- São Paulo : Publication Studio São Paulo, 2020.

ISBN 978-65-990888-3-4

1. Amazônia - Aspectos ambientais 2. Amazônia - Aspectos sociais 3. Povos indígenas - Amazônia 4. Coronavírus (COVID-19) - Pandemia 5. Desmatamento - Amazônia 6. Florestas - Amazônia 7. Relatos pessoais 8. Reportagens I. Título.

20-47623 CDD-304.209811

Índices para catálogo sistemático:
1. Amazônia : Ciências sociais 304.209811
Cibele Maria Dias - Bibliotecária - CRB-8/9427

Publication Studio São Paulo
Casa do Povo - Rua Três Rios, 252 - 1º andar
Bom Retiro, São Paulo - SP / CEP 01123-000
pssaopaulo@publicationstudio.biz
www.publicationstudio.biz

Este livro foi composto nas fontes de
licença livre Standard e Libertinus e
impresso na gráfica psi7, em outubro
de 2020.

PSSP

PSSP é um estúdio de publicação que integra uma plataforma internacional em rede cujo princípio é a distribuição de livros pelo mundo. Cada estúdio conta com uma estrutura que possibilita a produção local de qualquer título disponível no site publicationstudio.biz.